文春文庫

すっぴん魂《コン》 愛印《あいじるし》

室井 滋

文藝春秋

すっぴん魂《ヨン》♥愛印

目次

初出「週刊文春」(一九九八年六月～一九九九年七月)
JASRAC 出0508385-501
装幀 池田進吾(67)
本文イラストレーション 長谷川義史
目次デザイン 鶴丈二

すっぴん魂《コン》

愛印

今どきのダイエット

深夜。

神田川沿いの小さなＢＡＲで飲んでいた。ブラジル音楽をよくかけてくれる小洒落《こじゃれ》たお店。

若いサラリーマンがテーブルに五、六人と、カウンターには私と友人、端っこにお店のアルバイトの女の子、そして奥のテーブルにはアベックが一組いた。

特別騒がしいわけでも、ひっそりしているわけでもない。いつもと同じ、タラ〜ンとした雰囲気なのだったが、そこに突然誰かが、すっ頓狂《とんきょう》な声をあげた。

「ウッヒョ〜、チューーだぁ！」

それはとても高音で、キンキンしていて、何だか『緊急だ』とでも言っているようなニュアンスがあったので、誰もがその声につられて、声の主の指差す方を振り返った。

果たして、窓外の電柱の下で抱き合っているのは、今しがたまで同じ店内でお酒を飲んでいたあのアベックだった。いつの間に勘定を済ませ、いつの間にお店を出て、いつの間にそんな事になっていたのやら……。

皆、しばしの間、「はぁ〜〜……」と、口をポッカリ開けて、二人を注目した。

なかなか激しい抱擁が、路上で繰り広げられた。

「あれ、さっきまでそこで飲んでた奴らだろ？　何だよ、店出たらいきなりかよ。もうちょっと我慢しろよな……」

「男の方、きっと外出た途端にたまんなくなって、のしかかったんだぜ。女の子、けっこうモデルタイプだもんな、イヒヒヒヒ」

サラリーマン達が好奇心満々に薄ら笑いを浮かべ、そのうち、一人が「ピーッ」と口笛を吹いた。

店中のギラギラ気配にようやく気が付いたのか、二人はまるで雷の音にでも驚かされたかのように、抱き合ったままビク〜ンとなり、目を真ん丸に見開いて、こちら側を見た。

お店の中の皆は途端にどよめいて、今度はあからさまに大声で囃《はや》し立てる。

二人はパッと離れると、一瞬オロオロしたが、次の瞬間には、逃げるようにして駆け出して行った。

さて、男性陣がいつまでもゲラゲラ笑っている、そのさ中、私の横で立ち尽くしてい

たアルバイトの女の子だけは、少し反応が違っていた。

走り去って行く二人の後ろ姿をいつまでも見つめて、

「ああ〜、いいなぁ、うらやまし〜〜〜！」

と、深い溜息《ためいき》をつくのだった。

彼女には悪いが、たまらなそうに漏らした、このひと言の方が私には受けた。

「凄《すご》いな、いいよねぇ、あんな風にチューなんて……」

人目をはばからずチューするより、人目もはばからずそんなに素直に言い切るなんて!?

……なのである。

彼女は深夜食の賄《まかな》いで出されていたカレーを食べている真最中だったのだが、しばし外を見つめてから、カウンターに戻るや否や、ハッとなってさらに言った。

「ダメだ。夜中にこんなに食べてちゃ、ブタになる。ブタになっちゃあ、あんな事も……」

分かりやす過ぎて、私はすぐ傍《そば》で、プッと吹き出してしまう。そして、「ねぇ、恋人、いないの？」なんて、大人ぶって声を掛けてみた。

「いませんよ〜。淋しい。早く彼氏見つけてデートとかしたいんだけど……。ちょっと、ここんとこ、アタシ太っちゃってっから、合コンとかにも行けなくって……」

私から見て、彼女がそんなに太っているようには見えなかったので、思わず、「ちっともデブじゃないよ」と言ったのだが、彼女の方は口をへの字に曲げて首を左右に振るのだった。

「うちの仲間の女の子達、水準高いんですよ。皆、ガリガリに痩せてて足が長くって、可愛いの。だから……」

「自分だけが太ってて格好悪くって、皆のひき立て役になってしまうから、合コンに行けないと思ってんの？」

ついつい、さらに尋ねる。

「いえ、そうじゃあないんです。アタシが太ってると、まず皆が……仲間の女の子等が一緒に遊んでくんないんですよ。デブはダメだって」

……と、彼女がはにかんで笑った。

「え〜!?　何でぇ」

不思議に思って、私は益々つっ込む。

男の子に相手にされないというならまだしも、太っていて女友達に仲間はずれにされるとは、一体どういう理屈なのだろう。

「だから……、たとえば居酒屋とか、クラブとかに行きますよね。女の子だけのグループって、男の子のグループに声掛けてもらうの待ってるわけだから、そん時、他のグループの女達に負けちゃあまずいわけですよ。つまり、一人でもデブで冴えないのがいると、グループ全体の平均点をグッと下げちゃうわけでしょ。パッとひと目見て、『あっ、あの子達ツブぞろい。いけてる』って風にまずは思われないと……。男の子の側に、誰が誰とツーショットになっても無難って思わせないと、難しいんですよ」

彼女はカウンターの向こうに入って、自分の食べかけのカレーを処分しながら、トツトツと語った。

「ナンパされに網張ってる時は、私達、テーブルとかも選ぶんですよ。店の真ん中は目立ち過ぎてよくない。出入り口のあたりとかトイレの傍とかがけっこういいんです。とにかく、声を掛けられないことには、私達仲間同士の競争にまで行きつかないわけですから……」

成程《なるほど》、彼女の理屈だと、合コンも「私達、誰を選んでもお得よッ」という印象を最初に与えると相手もノリノリで会が盛り上がるということなのだろうか……。

「はあ……、す、凄いねぇ。じゃあ、当然あんた達の間じゃあ、個人の服装チェックとかメイクにまで口出したりするわけ？　一人がダサダサだと平均値落とすんでしょ？」

私は恐る恐る聞いてみた。すると……。

「当然です。でも、一人だけ派手派手イケイケ顔《ガン》グロでもダメなんです。全体の印象が変わってしまうほど目立ち過ぎちゃあダメ。だから私達、皆、髪型とか服とか、すんごく似てるかも」

案の定、そんな答えが返ってくるのだった。要は相手にワクワク感と同時に安定感も与えるのがコツらしい。

自分が学生の頃、フラフラ遊んでいた時にもナンパや合コンはあったが、彼女等のように徹底した『誘われるための準備のようなもの』は存在しなかったと思う。

路上のチューにはさほどドキリともしないが、彼女の仲間はずれに遭《あ》わぬためのダイエットは私の理解を超える。

オバさんはお手上げなのであった。

君はどこの誰？

夜中にP子が暗い声を出して電話を掛けてきた。

どしたぁ〜!?　と尋ねると、よりによって、「浮気されてる、アタシ！」なんて言うのだ。

「嘘ッ、彼、あんたにぞっこんだったじゃないの。何で？」

ビックリして大声をたてたら、それが呼び水になったのか、いきなりビャーッと泣き出してしまった。

「うう〜、悔しい、あんな女にッ！　何でだろう、あんなに大切にしてきて、あいつアタシにベッタリだったはずなのに……二股かけるなんて、ひどすぎる。うわぁ〜〜〜」

傍《はた》から見ていてもナイスカップルで、そろそろゴールインかと、私も思っていた。

「な、永すぎた春かぁ……ここらへんで、あんたたちもやっぱりケジメをつけて、パチンとピリオド打たなきゃね。研ちゃんも、つい、よそ見しちゃうってこともあるかもよ……咄嗟《とっさ》に何とコメントして良いかうろたえて、私はつい分かったような口を利いてしまった。

ところが、これに反応して出たP子の言葉を聞いて、私はちょっと拍子抜けしてしまう。

「バカ、研二じゃないわよ、サブよ。サブがひと筋向うの道路っ端のスナックのママん所に〜〜〜」

サブとは彼女が飼っている猫の事なのだ。

P子の話だと、もう十五歳だそうだ。人間にしたら、一体いくつぐらいなんだろう。かなりおじいさんだと思う。

サブはアメリカンショートヘアーでもなければ、ペルシャネコでもない。シャムネコでもないし、チンチラでもない、ただのその辺の普通の猫だ。

目付きは最悪で、黒と茶のシマシマ。尾っぽとキンタマ袋がやけにでっかく目立つ、不敵なつらがまえの猫だ。

お世辞にも可愛いとは言えないのだが、P子はこいつの事を、恋人の研二よりも大切にしている風だった。

「サブって絶対に長生きだから、アタシ、この子をギネスに挑戦させたいの」が、P子

の口癖だ。

ギネスの審査を受けるには、サブの年齢の証明が必要だが、血統書付きではないので長生きだという証拠がどこにもない。お願いだから、その時は皆で証人になってねぇ〜、と、P子はお酒を飲むとかならず口にするのだった。

文字通り、サブを猫っ可愛がりするP子であったが……。

「ねぇ、サブがママん所にって、どういう意味？　あんな猫、持ってっちゃう人なんているの？」

あまり興味はなかったが、仕方なく私は続けた。すると、P子がポツリポツリと話し出す。

「ほら、あいつトイレの窓から、いつも自由に出入りできるようにしてあるじゃない。だから夜中に、フラリ気ままに出てったりはしてたんだけど、でも、かならずアタシん所に帰って来てたのよ。それが……」

ここ十日程パッタリ戻らなくなったので、さすがに心配になって、P子は近所を必死に探しまわったのだそうだ。

いくら元気とはいえ、サブもいい歳《とし》だ。どこかの軒下で息絶えているのかも、とP子はいろんな所を這《は》うようにして探した。

ところがある真夜中、仕事帰りのスナックのママに寄り添って歩いているサブにバッタリ会ってしまったのだ。

「サブ～……」

P子の呼ぶ声に一瞬サブもキロリ彼女を振り返ったそうだ。が、彼女の元に走り寄って来るでもなく、すぐに再びママの足にまとわりつきながらプイと行ってしまおうとするのだった。

びっくりしたP子は、さすがに自分の方から駆け寄り、サブを抱きあげようとした。すると次の瞬間、さらに驚くべき事が起こった。

ママがP子の腕の中からサブをつかまえて、「えっと、何かしら？」と、尋ねてきたのである。

P子は目をまん丸に見開いたまま、「これ、うちのサブなんですけど」と言い返したわけだが、ママはそれを聞くなり怪訝《けげん》そうな顔になったという。

「サブ!?　これは、うちのトーマスよ」

信じられないひと言だった。

「十七年間ずっと、私のたったひとりの家族よ。あんた、よく似た柄のと間違えてんじゃあないの？」

ママはマスカラのはげ落ちた目でP子を睨《にら》むと、ガッチリ、サブをかかえて踵《きびす》を返してしまった。

茫然と見送るP子に向かって、サブも『ニャー』とひと鳴きはしたものの、やっぱり抗《あらが》う様子もなく抱かれたまま行ってしまったのである。

「それで、……それっきりなのサブとは？」

さすがに私も、すっかり同情した口調に変わってきた。

するとP子の方は、「ううん、それが、それから二日程してサブの奴、また帰って来るようになって……。でもアタシ、何だかあれからどうにも妙な気持ちなのよ」と、悄《しょ》気《げ》返ってしまった。

彼女の気持ちは痛いほど分かる。

ついこの間まで自分の家の子だとばかり思っていたヤツが、実はよその家の子でもあったのだ。違う洋モノ猫の名で呼ばれ、しかも自分が思っているよりも二歳も年上だったのだから。

これがサブじゃあなく、恋人の研二がやらかした事なら、それこそ大喧嘩の末、即刻、白黒ハッキリ片を付けているところだろう。

しかし、相手が猫の場合、どうなのだろう。元々のら猫で、何ものにも縛られずに気儘《まま》にしている奴なのだ。

「お前はサブなの？　トーマスなの？」と問い詰めたところで、「俺は行きたい時に行きたい所に行って、何とでも呼ばれるのさ」と覚めた目を向けられるのがオチである。

「成程《なるほど》ね、ママとあんたは家にいる時間帯がまるで違ってたから、サブも夕方からはあんたんち、夜明けになったらママん所って、バレずに上手《うま》い具合に出来たんだねぇ。……で、どうするの？　サブをもう外に出さずに独り占めするか、あるいはもうシャットアウトするか、今まで通りでいるのか……」

私は簡単に誰もが思いつく三択の選択肢を彼女に投げかけた。

すると、受話器からは深い深い溜息が漏れ聞こえてき、その後しばし、何の音もしなくなった。

「……取り敢えずアタシ、サブが気になって、長い旅行ってのした事なかったから、今度初めて一人旅ってのやってみようかと思って……」

やがてそんな風に、とても静かだが、何かを決心したようなキッパリした声が返ってきた。

Ｐ子のサブからの旅立ち声明なのであった。

なにさッ！　銀行

事務所のふぐママ社長が怒ってる。

「んも〜〜〜！　腹立つう、銀行めぇ」

どうやら銀行で何かあったらしい。

一体どうしたのかと尋ねると、ふぐママはよくぞ聞いてくれたと言わんばかりの勢いで喋り出した。

「だってひどいのよ。S銀行の西麻布支店と六本木支店が最近統合されたのよ。西麻布がなくなって、六本木に吸収される形でね。それにつき、両支店で同じ口座番号の通帳は、番号を新しく変えるという方針になったっていう知らせをもらったんだけど……」

つまり、西麻布支店の㊝一二三四五六と、六本木支店の㊝一二三四五六とがあると、両者共に口座番号を変えるという方針らしい。

「まずね、これにちょっと、『あれ？』っとなったのよ。西麻布支店の方にはお気の毒

だけど、支店そのものが名前も場所も無くなるんだから、そりゃあ仕様がないわよね。でも、何故、こっちまで変えなきゃなんないのかしら。六本木支店は今まで通りあるのに……」

ふぐママは当然銀行側にストレートに同じ事を言った。しかし返ってきた答えは『あくまでも支店の統合ですので、混乱をさけて両者共に新規の口座に移動していただく方針』とのことだった。

「お客様には本当に御迷惑をおかけしますが……」のひと言も無い、そのシレッとした態度に、ふぐママはカチンときて、「それじゃあ」と、さらに切り返したそうな。

「うちね、タレント全員のギャラが、この口座に振り込まれてくるんだけど、そうなると、仕事先の経理の方々に変更のお知らせしなきゃなんないわねぇ。それじゃあ、大至急名簿とお詫びの文面を作りますから、そちらでそれ印刷所に出して、封書で皆さんにお知らせする作業やって下さいな」

彼女にしてみれば、銀行の都合で、泣く泣く変更させられるわけだから、当然のケアであろうと思い、そう申し出たのである。

ところが、言われた方の窓口の女性は、しばしアングリと口を開けたまま茫然となっていたそうだ。そして、我に返って「ちょっとお待ち下さい」と上司を呼びに行ったのだが……。

やって来た上司に同じ事を繰り返し喋ったところ、その男性はさらに慇懃《いんぎん》な態度で答えた。

「そんな事おっしゃるお客様なんて、他にどなたもいらっしゃいませんよ」ときたもんだ。

これにはさすがに、ふぐママもブッチリ切れて、目をカッと見開き、相手を睨《にら》みつけるようにして言い返した。

「それは、他のお客様がよっぽど余裕がおありか、ボンクラなだけでしょう。支店の統合は客の都合じゃあなく、お宅の銀行の都合で、勝手にやるわけでしょ。そのことで、お客さんに余計なお金を何故使わせるんですか？　預金したって、もう雀の涙ほどにもならない利子しかつけないくせして、これ以上お客に損までさせるなんて、私、信じられないから言ってんのよ！」

確かに社長の理屈はまるごと正しいと、私も思う。

仮に銀行に五百万預けたところで、年間定期でも0・250％〜0・300％ぐらいしか利子がつかない。つまり、一年で一万二千五百円〜一万五千円ぐらいしか利子がつかず、おまけにここから税金まで引かれるわけである。

タレント全員の振り込み変更先はザッと数えても二百件以上……つまり、切手代80円×200件＝1万6000円、これに印刷代やら紙代やら、確認の電話代やらが加算されてゆくと、あっという間に一年間の利子以上のものが出ていってしまうというわけだ。

ふぐママの名誉のために書き加えるなら、彼女は全く『ケチ』とはほど遠いタイプの人だ。マネージャー業を営むので仕事の交渉こそはパチッとやるが、皆に豪快に御馳走したがるタイプの人なのだ。

ただでさえ忙しいところに雑用を増やしておきながら、「関係ない」と言い張る銀行の自分勝手な態度にカチンときただけなのである。

そう言えば、銀行で怒鳴りまくっているおじさんとかを時々見かける。そんな場合、たいてい他の客は憤っている方の人を不審げに見てしまうものだ。

しかし、よくよく考えてみれば、怒っている人には、かならず何らかの理由があるはずで、ここにきて、急速に信用を失いつつある銀行内では、以前とは少々違う空気が流れているカンジも出てきた気がする。

皆、怒っている側の人の話を聞こうと、耳をそばだてているのだ。そして、隣り合わせた主婦同士などで、「ひどいわよねぇ、もっと言ってやるべきよ」などと同調の声があがったりもしている。

私も少し前に、某銀行の窓口でやり合ったことがあった。

電話料金や税金関係のもの、国保の支払いなどをしに窓口に行ったところ、ミスが起きた。お金を払ったのに受領印を押し忘れたものが一枚あったのだ。

仕事の途中、休憩時間に払いに行き、スタジオに戻ってから領収証袋の中に仕舞おうとして、その事に気がついた。

慌てて走って行き、窓口の女性に指摘すると、シレッとしたカンジで「これ、お金はいただいてるんですかぁ?」と言われてしまった。

思わず、ムッとなり「何言ってんの、さっき払ったでしょ。押し忘れよ、きちんと調べて」と、声を荒らげた。

すると、彼女はしばらくしてミスを発見したようで、受領印を押してはくれたものの、「申しわけない」のひと言もなく、ただプイッと無言で用紙を返してきた。だから、私はますますカッチ〜ンときて「間違ってたんなら、何とか言ったらどうなのよ、ボケッ」と、今度はドスのきいた声を出してしまったのだ。怒っても自分には何の得もない。却《かえ》って不愉快になるばかりなのは充分に分かっていたが、思わず「ボケッ」まで出てしまった。

社長には「フリー雀荘にだけは行くな！」と並べて、「見知らぬ人と喧嘩するな！」と、あれほどクギをさされていたのに……。

怒鳴った先からふぐママの顔が浮かび、私はすぐに踵《きびす》を返し、スタスタと銀行を出た。

そして、この時だ。

多分、一連の私の様子を目撃してしまった男の子なのであろう。後から追っかけてきて、私を呼び止め、ただひと言、「応援してます。頑張って下さい」と目を輝かせて言うのであった。

私は反射的に「はい、ありがとう」と、答えたものの、彼の言葉の意味が「テレビで頑張って」なのか「銀行に負けるな」なのか判別できず、しばし複雑な気持ちでいたのである。

強烈！　眠り姫

夜の十時半。仕事帰り。

入谷に住む友達の誕生会に遅れ馳《ば》せながら行こうと、地下鉄日比谷線の電車に乗った。

終電にはまだ早い。

車内は比較的空《す》いていて、ベロベロに酔った人はおらず、どちらかというと落ち着いた雰囲気だった。

通路を挟んで私の目の前にはベージュ色のミニのスーツを着たOLらしき女性が、さっきから、電車の振動に合わせるようにコクリコクリ船を漕《こ》ぎ始めている。

月末だし、残業だったのかもしれない。

よっぽど疲れているのか、そのうち、膝《ひざ》の上の彼女の腕がダラリゆるんで、ハンドバッグがボトッと床にすべり落ちた。

ハッとして、拾ってあげねばと思った。……が、しかし、私が腰を浮かすより速く、

彼女のすぐ右隣りのサラリーマン風の男性が手を伸ばして、バッグを取ってあげたのだった。

どうやら男性は彼女の連れではないらしい。そのハンドバッグをかわりに持ってあげようなどと彼はせず、ＯＬさんの膝の上にそっとのっけてあげていたからだ。

ＯＬさんは男性のこの心遣いに反応するでもなく、依然として眠っている。

それどころか、まるでこれをきっかけにするかのように、男性の肩にもたれかかり、少し顔をのけぞらせて、いっそう深い眠りに入ったようだ。

一方男性の方は、さすがにこれにはドキリとなったのか、あからさまに顔を赤らめていた。が、彼女に貸した肩をピクリとも動かさず、彼女を起こさぬようジーッと姿勢もくずさず、ただ斜め前方の週刊誌の広告をひたすら見つめているのだった。

「やっぱり美人は得だなぁ」

向かい側の席にいて、否が応でも男性の表情が見てとれる私はつくづくそう思った。

「これ、ブスだと絶対こうはいかないもんね。ゴホゴホって咳払いされちゃったり、あからさまに肩をはずされたりって具合になるもんね……」

寝こけていて、見知らぬ誰かからマスクまでかけさせられた事のある私は、自分の苦い経験を含め、ついいろいろと思い出してしまうのだ。

「この男の人、けっこう満更《まんざら》でもないってカンジだもんねぇ。首筋に、あんなにベッタリまとわりつかれてんのに……美人だと、そんなに嬉しいもんなのかなぁ」

OLさんの唇が、もろ自分の耳元にくっついたその瞬間に男性の口元が緩み、目を細めてニヤリ顔になるのを、私は見逃さなかった。

が、しかし――。

さらにそのうち。OLさんの眠りが本格的になってきたのか、彼女の姿勢が益々大胆になっていき始めた。

頭が男性の肩から一気に胸元を通過して、太股のあたりまで落下。

そして、それに合わせてお尻もモゾモゾ、自分の左横に後退し出した。

はっきり言って、それはもう完全に横になって寝ている状態だ。まるで『耳かきして下さい！』とでもお願いしているかのような……。

左横のやっぱり背広の男性は、彼女のお尻が次第に自分の方にせまる度、仕方なく少しずつ左側に移動する。

その間にハンドバッグなぞ、もう何度もズボズボ落ちまくっている。

さすがの右横の男性も、彼女の派手な寝相に、段々に困惑顔になってきた。

目の前で見ている私にも、「こりゃあこの人、残業で疲れてるって寝方じゃあないぞ」と、少々男性が気の毒に思えてきた。

が、……やがて、彼女の足がハイヒールごと、座席の上にフワッと登ってきたその瞬間にだ。

ついに堪忍袋の緒が切れた！……と言わんばかりに、左横の男性が右横の男性に声をかけたのだ。

㊧「この人、あなたの彼女ですか？」

㊨「い……いいえ、違います。知らない人なんですけど……」

㊧「じゃあ迷惑でしょうに、こんなじゃあ。ひどすぎるから注意した方がいいですよね」

確認をとると、左横の男性がOLさんの肩をつかんで、ゆさぶり起こした。

すると彼女……、「あっ、ごめんなさい」と、真っ赤になって恥ずかしそうに飛び起きるのかと思いきや、車両中の人がギョッとなるぐらいの大声で、「何すんのさ、アンタ、うるさいんだよ！」と、いきなり凄《すご》い剣幕になった。

寝ぼけているのか、はたまた、寝起きがひどく悪いのか。その可愛い顔からは全く想像もつかない悪態だ。

男性は驚き、一瞬ひるんだ。が、すぐに冷静に続ける。

「君ね、酔ってるのかもしれないけど、皆迷惑してるんだよ。もうそろそろ混んでくるあたりだし。君、一人で、三人分ぐらい場所とってるんだからね」

やんわり言うが、彼女はこれにもシカト。一向に起き上がろうとはしない。

さて、この態度にはとうとう男性の方が逆ギレしてしまい、ついに立ち上がった。

彼女の座席の下の方をバンと蹴り上げて、「いい加減にしろ〜」と怒鳴ってしまったのだ。

まわり中唖然《あぜん》として、静まりかえる。

私もゴックンと唾《つば》を飲み込んだ。

すると、さすがにバツが悪くなったのか、これにはOLさん、必殺㊛の奥の手を出してきた。

つぶらな瞳に、大粒の涙を浮かべて、シクシク泣き出してしまったのだ。

途端に男性は困り顔になった。そして彼女の目線までしゃがみ込んで、今の態度を即詫びる。

「言い過ぎたね、ゴメン。俺が悪いね。だけど、君も悪いんだよ。落ち着いて考えてみて。ねぇ、分かるよね、ここは電車の中なんだから……」

まるで子供をあやすように説明し始めたのだが……ここでだ。さらに突然、この男性のそのまた隣りにいたおばさんが、口を挟んだ。

「いやッ、あんたが全部悪い。いい女がみっともない。ホントにいい加減にしろッ！」

と。

ギロリ睨みつけ、パシリと言った。

この一撃にはさすがのＯＬさんもビビッたようで、ピタリと泣きやみ、すっくと起き上がった。

そして、はじめて「すみません」と頭をさげると、そそくさ次の駅で降りて行ったのである。

おかしなものだ。こういう時には不思議と、男性のどんな言葉より、おばさんの一喝の方が威力があるらしかった。

女優志願です

春だ。

何だかソワソワ落ち着かないような、フワフワわけも無く嬉しいような……普段とちょっぴり違う気分。

季節柄、皆もやっぱりそうなのだろうか。『春なんだから、心機一転、何か始めなきゃあ』という意気込みの手紙をたくさんもらう。

例えばそんな中に……、『いろいろ考えましたが、自分には女優の道しかないと思うので、是非私をムロイさんの付き人にして下さい』なんてぇのが、かならず何通か入ってくる。

『この春からは教員をやめて、女優修業をやるべく上京するつもりなのでヨロシク』とか、『看護師の仕事よりカッコイイ芸能の仕事を目指したい。何でもしますから……』と、現在の仕事を捨ててもという人までいるのには、かなり驚かされてしまう。

女優になろうと思うのは勿論その人の自由だが、だから付き人に……と言われても、困る。

そもそも付き人というのは、マネージャーになるために見習いをする人の事を言う。俳優の仕事中の仕度のヘルプや、所属事務所と撮影現場のスタッフ等との連絡係のような事務的な事をまずは覚え、その上でさらにマネージャー修業をするのだ。朝から晩まで周りの人々に気を使いながら、俳優の陰になりひなたになって働く事は、どうしても女優業を目指すこととは道が違い過ぎるような気がしてならない。だから、私はそんな手紙をもらう度、返事に窮するのだ。

前に一度、マネージャー見習い……つまり、付き人をやっていた女の子Bちゃんが、「アタシ、女優になりたくなりました」と、言い出した事があった。

あれもやっぱり、ポカポカ、サクサクの春だったっけ。

一年程、私と一緒に仕事をしてくれていたが、ある日突然、『目覚めたッ！』といった風に告白された。

事務所のふぐママ社長は、「あ〜あ、そりゃあ、ムロイ見てりゃあねぇ……、普段ズックの後ろを踏んづけて、髪もボサボサにしてんだから、簡単に女優になんてなれちゃうって、思っちゃうわよねぇ……」と、困り顔になった。そして、芸能の世界がいかに大変かをBちゃんに話して聞かせ、自分から見て、Bちゃんが女優に向いているようには思えないと、ズバリ言った。

確かにBちゃんは、中学校の学園祭以来、お芝居のようなものをやった事もなければ、映画や舞台劇を人一倍熱心に見る映画・演劇ファンでもなかった。特別個性的な容姿の持ち主でもなく、無口でおとなしく、女優を目指すには、いささか薹《とう》も立ち過ぎていた。

しかし、容姿や年齢の事等を言えば、私とても同じだ。すこぶる平凡な顔で、仕事が順調に回り始めたのも人よりかなり遅く、あまりパッとしないタイプである。

実際、私の傍《そば》にいて、ひょっとしたら私でも……と感じたわけだから、外見的なものが女優向きじゃあないというのは理由にならないなぁと、私の方は思った。

「可能性は皆にあると思うから、私は反対はしないし、できない」

私は、ちょっと考えてからBちゃんに続けた。

「でもね、Bちゃん。じゃあ何かお芝居やってみなさいって誰かに今言われても、ちゃんとやった事ないわけだから、自信ないでしょう? とにかく、どこかで誰かに基本的な事を教えてもらって、そんでもって演出を受けて、いろいろセリフ言ったり、笑ったり、泣いたり、怒ったりしてみなきゃあ。それやってみて、それが面白くて絶対女優になりたいって思うんなら、その時は頑張ってみればいいんじゃあない?」

春だし、何かやってみたくなり、一時の気の迷いで言い出した事なら、考え直した方がいいと私も正直思った。

俳優業は一見派手そうに見えるが、その実、日々の積み重ねが必要な、とても地味な仕事でもある。才能があって頑張り屋でも、なかなか芽の出ない人だってたくさんいる。何を勉強して、どういう道を行けばいっぱしになれるかなんて、人それぞれ違い過ぎて、皆同じ風にはいかない。

そんじゃあ、そんな中、一体何を芯棒にしてゆけばいいのかといえば、本当にお芝居そのものが好きか嫌いか……その事しかないと思うのである。

とても単純な事をストレートに話してあげる事しかできなかったが、私はそう言って、結局彼女を送り出した。

さて、その後——。

ある日久し振りに、Bちゃんから手紙が来た。とある大手プロダクションの所属オーディションを受けに行ったところ、見事に合格したというのである。

家族や友人からお祝いなんかもしてもらい、大喜びしたのだそうだ。

新人の所属タレントのカタログとプロフィールを作るので、写真や経費代金十万円を持って、写真撮影に来るよう言われ、Bちゃんは新しい洋服や靴を買って、美容院でバッチリきめて、スタジオに行った。ところが——。

「このパンフレットを大量に作って、あちこちの制作会社やTV局に配るから。それで声が掛かればすぐお知らせします。連絡待ってて下さい。じゃあ、日々、女優として磨く事を忘れずに」との説明をプロダクションの人から受けただけで、Bちゃんの撮影はものの五分もかからずに終わった。

それでも彼女は天にも昇るような心もちで、しばしボーッとなっていたという。

一カ月、二カ月、三カ月……。

アルバイトから帰る毎、家族に「今日何か電話なかったぁ？」と聞き続けて半年が過ぎた。

プロダクションからは梨の礫《つぶて》。次第にやきもきし始めたBちゃんは、さすがにある日電話を入れてみた。

しかし、返って来たのは、「こちらも一生懸命セールスしてるんですけど、なかなか難しいんですよ。一緒に所属した人の中には、ボチボチ仕事決まってる人もいるんですけど……」というそっけない返事なのであった。

百人単位で一応所属させ、写真代を取ってパンフを作って利潤をあげ、その中から二、三人いい子が出てくれれば御《おん》の字という、プロダクションの見え見えの手口だと、私は思った。

Bちゃんは一年仕事を待って結局何もなく、はじめて自分が、まるで宝クジでも当てるみたいな事を考えていたのだと気づいたという。

『この春からは額に汗して、小さな劇団の一年生をやっています。上手になったらムロイさん、絶対見に来て下さいね』

Bちゃんの手紙は最後にそう結ばれてあった。

時と場合のバイオリン

ソニーの『CDクロック　レディオ』を買った。

CDのジャケットよりひと回りぐらい大きく、厚さ三センチ程の『クロック　レディオ』はとてもコンパクトなのに、図体の割にでっかくて良い音を出す。

最初、スタイリストのNさんが、仕事場にこいつを持って来て、古澤巌の『ヴァイオリンの夜』を聞きながら、衣裳にアイロンがけをしていた。

朝の撮影スタンバイの時間がいつもよりゴージャスになった気がして、私はメイクしながらコーヒーを三杯も飲んでしまった。

「いいじゃん、いいじゃんこれ〰〰。きれいな音出るねぇ。このバイオリンの曲もカッチョイイ。御機嫌だね」

とっても気に入って、翌日もう電器屋に行ったというわけだ。

あれから、どこに行くにも『クロック　レディオ』を持ち歩いているが、先日、ちょっとした事があった。それは——。

軽井沢でロケーションをした夜だ。

私は三枚のCDを持っていった。

やっぱり古澤巌の『マドリガル』『アズ・タイム・ゴーズ・バイ』（古澤andステファン・グラッペリ）そして『ヴァイオリンの夜』。あれ以来すっかりファンになって、出掛けに東京駅横の大丸で買ったのだ。

「カァ〜〜〜、うまいもんだねぇ。この速弾《はやび》き。まるで痒《かゆ》い所に手が届くみたいなカンジ、うっ、気持ちいい〜〜〜」

ホテルのベッドの上でゴロゴロしながら、寝酒にもらった赤ワインを、一人カパカパ飲んで、私はすっかりいい調子になっていた。

「この『チャールダーシュ』って曲、たまらんぞ、うう〜〜〜、色っぺぇ曲、シビレル〜〜〜」

そう……シビレル〜と言って、少し体を仰《の》け反《ぞ》らせたその時だ。

弾みで片腕が、サイドテーブルに置いてあったワインのボトルに当たって、ひっくり返してしまった。

まだ三分の一程残っていた中身が勢いよくドバッとこぼれ、丁度、真横にあった枕の上に流れ込んでいった。

「アッチャー、シマッタ〜、枕、真っ赤っ赤んなっちゃった。ヤベェ」

私は慌てて、バスルームからバスタオルを摑《つか》んできて、枕や枕元をパタパタ叩くようにして拭いた。

が、それでも限界があった。

タオルでいくらゴシゴシこすり取ってもワインの赤い染みは消えない。

シーツの被害はそれ程でもなかったが、枕はかなり危く見えた。

さすがに、このまま放置してしまうのはまずいだろうと思って、私は洗面所で洗おうと枕カバーをはずした。

その時だ。

やや古ぼけた枕本体のど真ん中、白地に黒マジックで何やら書かれているのが私の目に飛び込んできた。

「南……南……南……南……」

ヒェ〜〜〜〜〜〜〜〜〜〜〜〜〜〜〜〜〜〜！

真夜中の一時過ぎ。私はしばし文字を凝視し、それから突然悲鳴を上げながら、枕ごと放り投げた。

何と、そこには『南無阿弥陀仏』と書かれてあったのだ。

「南無阿弥陀仏……南無阿弥陀仏……南無阿弥陀仏……」

にわかに、恐怖心一色に染まってしまった私は、反射的に合掌し、うわ言とも、助けを求めるともつかぬカンジで、南無阿弥陀仏を三回唱えた。

当然すぐにその場から逃げ出し、スタッフの所に駆け込みたい衝動に駆られたが、それでもなにしろ、時間が時間。既《すんで》の所で、廊下に飛び出したいのを我慢した。

もう枕カバーが赤かろうが、白かろうが、そんな事はどうでもよくなった。

問題は枕本体だ。

私は、壁にぶつかってドサッと落ちたままの『南無阿弥陀仏』をベッドの上から遠まきにして覗《のぞ》きながら考えた。

一体何だろう？　何かのおまじない……それとも夢見が悪い人の魔除《まよ》けとか……はて!?　魔除け……魔除けねぇ……まさか、あの枕の上でお客さんに何かあって……何かって？……急に具合が悪くなって、あの枕の上で御隠《おかく》れになったとか……クゥ〜……そんでもって、この部屋にその人が迷って出てくんのかも……万一、本当に出てくんだとしたら、この枕だけじゃあなくって、ベッドの裏側とか、クローゼットの隅っことか、額縁の裏とかにも同じように書いてあるのかも……。

そこまで考えたら、心臓がバクバク鳴って、息がハアハア荒くなった。手の平も額も汗ばんでいる。時々、背筋にスーッと、冷や汗が流れ落ちるのすら分かった。

もうすっかり酔いも覚め、どこにも行けず、どうする事も出来ぬ私は、恐怖の極みに達していた。

「テ……テ……テレビでもつけっかぁ〜」と思って、スイッチを入れた。が、百円玉を入れて見るシステムになっており、私ときたらあいにく百円玉も持ち合わせていなかった。

この真夜中に、小銭にくずしに自販機探し求めて廊下をさまようのもまた恐い。

それじゃあ……、そうだ！　TVはあきらめて、古澤さんのCDをボリュームアップして聴けばいいじゃあないか……と、思い立った。

私は、いつの間にか止まっていた頼みの『クロック　レディオ』に震える手で擦り寄った。そして、『ON』のボタンを押したのだが……。

すっかり動転している私は、またしても道中よろけて、今度は目覚し時計を倒して、レディオの方にぶつけてしまった。

すると、CDの盤がポンと飛んで、一気に三曲目の曲がかかってしまった。

チャーチャチャチャーン、チャラララ　ランララ——ン♬

御存知《ごぞんじ》サラサーテ作曲の『ツィゴイネルワイゼン』だ。

あのもの悲しい旋律が急に部屋いっぱいに鳴り響く。甘ずっぱかったはずのバイオリンの音色が、まるで呪いの館でひとりでにキコキコ鳴り出す不気味な音のようになり変わった。

気がまぎれるどころか、体がガチンガチンに凍りつく。

「バ……バイオリンって、こんな時、恐いもんだったのねぇ……うう、歌謡曲とか演歌とか、シャンシャンシャンシャンって、もっとにぎやかなの持ってくればよかった〜〜〜」

あせる私は、必死でサラサーテを止め、仕方なく選曲ボタンを押して一曲一曲『恐い度チェック』を始めた。

そしてなるべく自分が平気でいられる軽快な曲を……そう、ガーシュウィンの『そんなことはどうでもいいさ』を選び出し、そいつを何度も何度もリピートし、時折大きな声で一緒に口ずさんだりして、夜を明かす事にしたのである。

トイレを改善して下さい

春色日ましに濃く、吹く風も肌に心地よく感じられる今日この頃に、突然こんな事を書くのもはばかられるのですが……皆さんッ！　トイレの水が流れず、お困りの経験はございらんか？

私は勿論、威張るわけじゃあないけれど、……そりゃあ、いっぱいいっぱいヒヤヒヤの体験をしているんです。

先日も……。ある日の午後だ。

私はレコーディングなるものに挑戦しに、スタジオにやって来た。

原宿のド真ン中の、NEWなビルディング。エキゾチックなカフェやブティックがおすまししてて並ぶ中、すいすいエスカレーターで昇ってゆくと、その最上階にスタジオの看板があった。

「レストランの隣りにスタジオだなんて……本当にここが……!?」

半信半疑で鉄の重い扉をガチャリ開いてみたら、ファ〜ンと音が広がって、そこには全く別の世界があった。

「カッチョイイ〜、天窓があるぅ……ここで歌うのね、はぁ、いいわぁ〜」

かなり贅沢な造りのスタジオに私はドキドキときめいた。そして、にわか歌手を気取って、発声練習やら腹筋運動やら自分の準備を済ませ、あとは先生方を待つばかりと思ってトイレに行ったわけだが……。

トイレはそのフロアにたった一つ。大きなビルディング、いかすスタジオに比べて明らかにレベルダウンしているのが見て取れた。トイレで節約、省エネしているカンジ。

私は大理石のゴージャスなトイレを想像していただけに、いささかガッカリして、「要は、用が足せりゃあ文句ないけどね」などと呟《つぶや》きながら、一番手前のボックスに入った。

「うわッ！……うう……チェッ」

便器の中は汚物、ティッシュの花盛り。ビックリ、ガックリ、ウンザリの順で不快な三連波が押し寄せた。

「ひどい、何で流さないんだろう」

その便器を使用する気は失《う》せたが、それでも一応、水洗レバーを回して水を流そうとした。

ところが、水がザーッと出ない。春の小川みたいにチョロチョロってな程度だ。私は便器に向かって大きな溜息をひとつつき、踵《きびす》を返してボックスを出た。と、よりによって、丁度そうじにやって来たおばちゃんと、ここで目が合ってしまったのだ。

咄嗟《とっさ》に、私は自分が詰《つ》まらせたと疑われるのでは!? とドギマギし、「こ、こ、ここに入ろうとしたら、凄い事んなってて……」などと、声を裏返らせてしまった。

おばちゃんの方は、これにあからさまにウンザリ顔になり、おまけに「フン、またか」と言うのである。

その言い方には深〜い嫌悪感、否《いな》、怨念めいたものが漂っている。

ひどく暗くとげとげしい感じだったので、私はどうしてよいか分からず、取り敢えず逃げるようにして別のボックスに入った。

おばちゃんのたてるそうじの音を気にしつつ、急いで用を足した。

「戻んなきゃ、作曲家の三木たかし先生や作詞家のあべとら先生が来られる時間だ」

そうだ、早くせねば……と気を取りなおして、レバーを回した瞬間だ。

天井からドッカーンと大きな石が落ちてきたみたいな衝撃を受けた。

レバーがこっちもやはりむなしくカラカラ回るばかりで、水はチロチロお気持ち程度にしか流れないのだ。

と、目の前の壁に一枚の紙が貼ってある事に気付いた。

『水は溜まってから！　二度流し禁止!!』

ど……どういう事だ？　つまり、音を気にして水を流しながら使用すると、次に溜まるまでにかなり時間がかかるぞと、警告しているのか……!?

私は自分の使った便器を見つめながら十五秒程、沈黙した。

それでもやがて、こうしてはいられぬと、せっぱ詰まってドアを開けた。

そしておばちゃんに申し出たのだ。

「ス、スミマセン。ここもやっぱり流れないです。私にもバケツ貸して下さい」と。

おばちゃんは途端に、さっきよりも険しい苦虫《にがむし》をかみつぶしたような顔になった。

口では、「いいよ、いいよ、私やるから」と言ってくれたものの、勿論おまかせするわけにはゆかぬ。

「いえ、自分の始末は自分でしますから」

私はきっぱり返すと、彼女の足元のバケツを摑み、それを水道の蛇口に持って行った。

ところがバケツが深過ぎて、洗面台でどうしても斜めになってしまい、水が汲めない。

焦る私を見ておばちゃんは、「そこじゃあ汲めないよ、私、下行って汲んでくっから」

と、とうとうバケツを持って行ってしまった。

おばちゃんが戻って来るまでの約七分間、私はまるで粗相をした子供のようになって、トイレで一人茫然としていた。

彼女が帰って来てくれた時は、本当に嬉しかった。

私は水のタップリ入った重いバケツをしっかり受け取って、自分の始末をザザ〜と、一気につけた。

繰り返し繰り返しおばちゃんにお礼を言い、そしてひと言最後につけ加えた。

「きっと、調整のネジをゆるめたら、もっと水出ますよ。ビルの人に言ったらいいのに。あとホースもあった方が……」

そうじに来る度、便器が花盛りであろう事は簡単に察しがついた。おばちゃんの眉間に深い皺《しわ》が刻まれてしまったのは、きっとそのせいに違いあるまい。

ならば、労働の改善を当然上司に申し出るべきだと思い、私は助言させてもらったのだが……。

おばちゃんは、さらに泣きそうな顔になって言うのである。

「そういうの、私が言ったって聞いてもらえないよ。やっぱりお客さんがアンケートのハガキみたいのに書いてくんなきゃ」と。

この不景気な御時世、耐えるっきゃ生きてく道がないと、真っしぐらになって訴えるおばちゃんに、私は心底《しんそこ》同情した。

そして、レコーディングの後、お客さまカードなるハガキの類《たぐい》を探したのだが、生憎《あいにく》そんな物はどこにも見つからず、仕方が無いので、ブティックのマヌカンさんや、レストランのボーイさんに伝言を頼んできた。

果たしてその後、あのトイレが改善されたかどうか。今のところ確認がとれておらず、とても気になっている次第なのです。

網棚の上に合掌

新番組の宣伝用に、子供の頃の写真を借りたいと言われ、この土曜、富山の実家に取りに帰った。

週末の用事といったら、この写真のピックアップだけだったので、金曜の夜はトップリ飲んでしまった。

真夜中に帰宅し、わずか二時間程仮眠……そして、早朝、東京駅より上越新幹線に飛び乗った。

頭はドンヨリ、瞼《まぶた》は半分落ちている。

行き当たりばったりで、新幹線の座席指定などしていないから、自分の目指すべき席はない。が、すぐに自由席の空席を見つけて座る。

即、目を閉じて眠ろうとしたら、車掌さんに「切符拝見！」と、肩を叩かれた。

私は越後湯沢で特急はくたか号に乗り換えるので、東京—越後湯沢と印字された切符

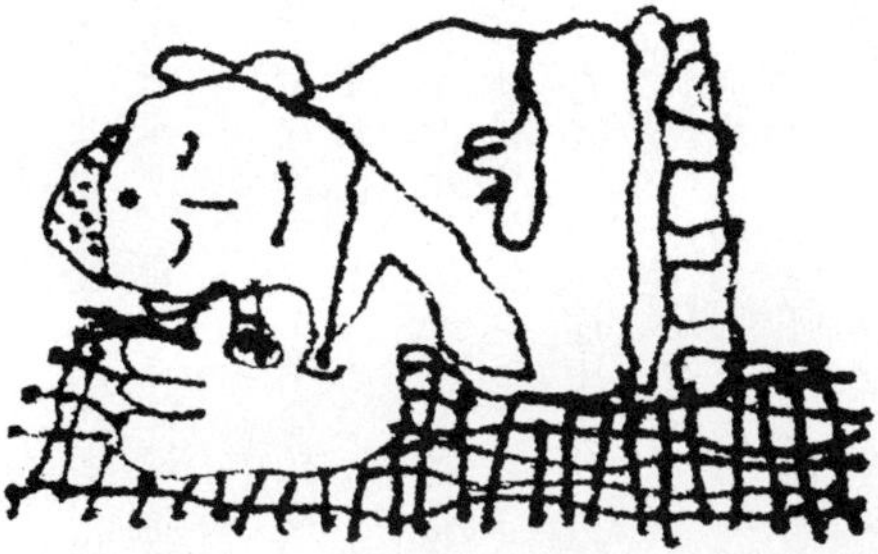

を持っていた。

　と、車掌さんより、「この列車、次の大宮を過ぎたら、終点新潟まで止まりませんよ」と注意を受けてしまう。

　おっと〜〜〜、危ない。

　慌ててリュックを背負《しょ》い、私は大宮でバタバタ降りねばならなくなった。

　寝ていないのでボンヤリ……というよりは、まだちょっと酔っていると言った方が正確かもしれない。

　それでも私ときたら、やって来る列車が何分発で、どこどこに停車するなど、確認しようともせず、相変わらず夢うつつのまま、次に目の前に止まった列車にポンと乗った。

　本当に、いい加減だ。

　しかし、こういう時に、ちゃっかり動物的勘のようなものが働くのも私の特徴だ。

新幹線あさひ号、特急はくたか号共に、「本日満席です」というアナウンスが流れていたにもかかわらず、越後湯沢までは指定席に、はくたか号に至ってはグリーン席！に座ってしまった。

いずれもたまたま座った所が、当日キャンセル分の席だったのだろうか？　いくら経《た》ってもお客は来ず、車掌さんに指定料金等を支払って自分の席となった。


そんなこんなでラッキーな私は、富山に向かって走るはくたか号の中、もうすっかり熟睡態勢に入っていた。

東京の自宅を出て以来、とぎれとぎれに寝たり起きたりを繰り返していたので、いい加減しっかり眠りたかった。

が、そんなところに途中より、隣りの席に初老の女の人が乗ってきた。

山のように荷物を抱えた彼女には、白い麻のスーツを着た、恰幅《かっぷく》のいいおじさんの連れがあり、生憎《あいにく》このおじさんの方には席がないようであった。

「社長さん、今、車掌呼んで何とかさせますから」

彼女は言いつつ、ソワソワと私の方を見たりした。

良かった……タッチの差だぁ。

私はせこくもホッとしたものだが、そのうち彼女に、「お宅、どこまで行くの？

……なあんだ、富山かぁ……富山まで待てない……チッ！」などと、つっけんどんに言われたりして、むかついてしまった。

言い返そうとしたわけじゃあなかったが、思わず私も……。

「あの〜〜、この大きな紙袋……ここに置かれると、弾みで倒れますから。網棚に上げられたらいかがですか？」

これ以上ガヤガヤ安眠を妨げられるのも嫌で、境界線上の肘掛《ひじか》けの上にのっけられた、目障りな紙袋の事を、つい言ってしまった。

すると――。

「これ、網棚にはのらないわよ。タテにできないし……無理よ」

「へぇ!?　じゃあ横にされたらいいじゃあないですか」

「ええ！　横に〜〜？　まさか、横になんて、そんな事。バチが当たって……」

おばさんは強い口調で言い返し、しばし私の顔を睨《にら》みつけると、大きな溜息をついて言ったもんだ。

「粗末にできないのに。……これは……お札《ふだ》よ！　お札を網棚なんかに……でも、そんなに言われたんじゃ……」

おばさんはプイッというカンジで立ち上がって、お札の入っているという紙袋を網棚の上で横にした。

そしてこれみよがしに、網棚に向かって合掌し、何やら……お経（?）のようなものをしばし唱えるのであった。

私は唖然となって口を開けたまま、反射的に立っているおじさんの方に視線を逸《そ》らしたが、そこにはもうおじさんの姿はなかった。

私とおばさん……二人の間にとても気まずい空気が流れた。

私はまるで『お札』を『お骨』と言われたぐらいの衝撃を受け、眠気も一気に吹っ飛んでしまった。

「そんな大切なものなら、自分の膝の上に抱っこしてたらいいのに……」

心中一人ブツブツ文句を言った。が、そうしつつも、おばさんとお札に、呪いをかけられそうな気もして、実際はそれ以上かかわらぬようにチッと俯《うつむ》いていた。

そして、それからしばらくしてだ。

富山駅まで、あと十分少々という地点で、突然列車はピ〜〜〜ッという長くてヒステリックな警笛を鳴らし、緊急停止してしまったのだ。

田んぼの真ん中。農作業をしていた人々が一斉にガバッと立ち上がる。列車の先頭方向を注目すると、カマやクワをポトリ手から落として、彼らが青ざめて走ってゆく姿が左右の窓から見えた。

密閉された車内には、外の音はまるで聞こえない。何が起きたのやらさっぱり分からず、それゆえに、とても恐かった。

特に私には、お札の一件がある。

「まさか……トラックつっ込んだとか……誰か轢《ひ》いちゃったとか……あのお札……上げた途端に……うう、まさか」

もう、胸がバクバク鳴った。

列車内が次第にざわつきはじめ、やがてアナウンスが入った。

「ただいま前方、踏切にて、直前横断がありましたので、当列車は、緊急停止いたしました。幸い、事故には至りませんでしたが、列車は数分遅れる見込みです。皆様、踏切の横断にはくれぐれも御注意下さいませ」

列車は十分弱停車していたが、窓外の人々がポツリポツリ戻ってきた頃、再び動き出した。

「良かった……何ともなくて」

私はホッと胸をなでおろした。

そして、窓にベッタリくっつけていた体を元の姿勢に戻したのだが……、その瞬間、私は二度ギョッとなった。

おばさんが、どんぐり眼《まなこ》で網棚を見つめたまま、またしても合掌スタイルになっていたからだ。

もはや、息苦しさの限界に達した私は、お札の横に寝かせてあった自分のリュックを降ろすと、おばさんにコソコソ一礼して、早々とデッキへと向かったのである。

只今、見習いまっさかり

久し振りのお休みの朝。

ピンポ～ン、ピンポ～ン。

何度もしつこく、玄関の呼びリンが鳴る。

「う～ん、何よ、まだ早いじゃん」

枕元の時計は十時丁度を指している。

たまには、思う存分、眠れるだけ眠ろうと今朝は目覚しのベルも止めてあったのに……。

「はい、もう～、どなたぁ？」

あからさまに不機嫌な声で出る。すると向うも負けないくらいにブッキラ棒な声で、

「あのお、水道の検針なんですけど～」と、きたもんだ。

何～ッ、水道の検針!?　そんなの勝手にやってよ。いつも、留守ん時でも、調べてし

っかり請求書送ってきてんだから、いつも通りでいいのに。何をいちいち声掛けてんだよ……などとは勿論言わぬが、その代わりに、「はい、どうぞ」と冷たく言い放ち、プチッとインターホンを切った。

しかし、再びベッドにもぐり込んで、眠り直そうと丸くなったその瞬間、またしてもピンポーンが鳴り響く。

「う〜ん……もう、……はい、誰ッ？」

すると、先程の声が、さっきよりとがったカンジで「あの、水道局の検針の者なんですが、水道のメーターって、お宅どこにあんですかぁ？」と、言うではないか。

「何で？……何でそんな事聞くの？　別にうちは場所移動してないわよ。今まで聞かれた事ないけど、ちゃんと検針作業は行われてますよ。あなた本当に水道屋さん？　アタシまだ寝てんだから、今すぐ外に出られないし……ほら、玄関のすぐ右脇ん所なんだけど……分かんないんなら、お宅の知ってる人に聞いてちょうだいよ」

自分って不親切……って思った。が、本当に超ねむかった。

何故今日に限って、突然そんな事を聞くのだろうという不審感もあって、私はひどく無愛想な態度をとる。

インターホンをプチンと切って、またまたベッドにパタリだ。

が、……やっぱりピンポーンのリフレイン。

しばし布団を被《かぶ》ってシカトを決め込む。が、なかなか鳴り止まない。ついにはガバッと起き上がって、「だから、起こさないでっちゅーの」と、激しく叫んでみたら、何と今度は郵便屋さんだった。

(ゆ)「速達なんですけど……」

(室)「……うッ……ああ、すいません、ポストに入れといて下さい」

(ゆ)「はぁ……ポストってどこですかぁ？」

(室)「えっ!?　ポストどこって、ポストはいつもの所よ。だって郵便局の人なんでしょ？　表札の横の窓の下の方にあるでしょう、入れ口がぁ……」

一体どうしたというのだろう、今日は。

普段当り前に行われてきたはずの事を、何故皆、いちいち尋ねてくるのだろう。

その理由は、午後になって、デパートに友

人のバースデイプレゼントを買いに出掛けて分かった。

そうだ、この季節、あちこちが新人君の見習い研修期間中なのである。

水道の検針の人も、郵便配達の人もたぶん……。

だとしたら、納得がいくではないか。

さて、デパートの中のとあるショップの女子店員さんだが、彼女はその態度もギクシャクして、品物の扱いもとても不慣れだったので、新人だという事があからさまに分かった。見習いのバッジのようなものは何もつけていなかったが……。

手元の動作がひどくのろく、待っているうちにいささかイライラしてくる。

こんな時、横にいる先輩がもっと本人に指導するとか、もしくはお客にひと言声を掛けてくれれば、少しは気がまぎれるのに……などと思いながら、私はレジのカウンターの様子をジーッと見ていたものだ。

せっかくのバースデイプレゼントなので、こちらとすればベテランの人にパリッと包んでもらいたいところだったが、頑張っている新人さんを目の前にしてはどうしても言い出しづらく、結局私は、お世辞にも上手と言えぬラッピングの品物をだまって受け取る事になった。

そしてさらに、店を出たその瞬間である。

突然私の周辺で、ピーピーというけたたましい音が鳴り出すではないか。

携帯電話かと思ってバッグをゴソゴソ開けたが、取り出す間もなく先輩の店員さんが、走り寄ってきた。

「スイマセ〜ンッ」

真っ赤になりながら、私の提《さ》げる紙袋を持ち上げようとし、「あの、万引き防止のタグはずすの忘れちゃったみたいで……」と言うのである。

確かに音は包みの中からのようだった。

「へぇ、こんな風に鳴るんだぁ。店を一歩でも出ると……凄いですねぇ」

私は初めての経験に、むかつくというよりは驚いて、思わずそんな事を言ってしまったが、肝心のプレゼントはもう一度ラッピングのやり直しで、またしてもカウンターの前でボサーッと待つはめになったのであった。

ひどく疲れた。

ただでさえ久し振りのお休みとあって、体が一気に脱力モードに入ってしまっていたのに、その上にいろんな事が重なってしまった。

こうなったらタクシーに乗って、友人宅にプレゼントを届けて、今日は少し早めに横になってしまおうと考え、私は通りでタクシーをつかまえる事にした。

「ヨッコラショ。えっと、石神井《しゃくじい》まで」

そう言ってシートにどっかり腰をおろし、前を見上げた。

私はギョッとなった。一体全体、何という日なのであろうか。私の目の前には男性が二人、まるで自動車の教習所の教官と生徒みたいに座っているではないの。

「うわぁ、どうして二人なんですか？」

さすがにそう問わずにはいられず、目を大きく見開くと、運転席の若い方の運転手さんが、「すいません。本日私ども研修中でして、御面倒をおかけします」と、とても丁寧に答えてくれた。

ここでも新人研修のようだった。

重なる偶然に思わず私もプーッと吹き出さずにはいられなかった。

それにしてもこの二人、当然運転している若い方が見習い君で、助手席のおじさんが教官役だと思いきや、実はその逆だという事が道中次第に分かってきて、私も二度びっくり。春に向けての見習い研修も様々なんだなぁーとつくづく思った次第だ。

歌舞伎町のあの娘

友人サブローよりＴＥＬ。

「俺、ゾッコンな娘《こ》ができたんだ。すげぇー美人だぜ。一緒にその娘が働いてるクラブに行ってくんねぇかなぁ？」

と、言う。

「何でアタシが、あんたの好きな娘に会わなきゃなんないのさ？」

このクソ忙しい時に……と、私はきつく跳ね返した。が——。

「いやぁ、実は、芸能人でよく知ってる奴がいるって、話の流れで、つい、お前のこと、話しちゃったんだよな。そしたら、彼女や、仲間のホステスの娘《こ》たち、こないだ夕方やってた『心療内科医　涼子』の再放送見てたって。頼むから連れて来てくれって、皆に言われちゃって。ＯＫ、ＯＫって、少しカッコつけちゃったんだよな、俺……」

サブローは、ひどく食い下がってくる。

面倒臭いから嫌だと何度も言ったが、それでも結局のところ『飲み放題・食べ放題・サブロー持ち』ということで、仕舞いには付き合うことになった。

サブローが最近足しげく通っているのは、歌舞伎町にあるフィリピンクラブであった。店内、フロアはかなり広く、カラオケのステージがドッカーンとあり、ホステスさんの数も六十〜七十人近くいるように見えた。全員、フィリピーナで、皆とても若く、スコブル可愛い。

やがて、サブローの元に御指名で、お目あての娘がやってきた。

本当だ!!……チャイナドレスの彼女。小柄だが、とてもスタイルが良く、「へぇー」と、思わず声をあげそうになるぐらいの美人だ。

「マリリンだよ」

サブローは、ビョーンと鼻の下を伸ばしたかと思うと、いきなりマリリンの肩を抱き、手をグニャグニャに握りしめだした。随分と長い付き合いになるが、そんな友人を見るのは初めてだ。私は呆気《あっけ》に取られて、しばし口をアングリ開けたまま、サブローの行為を眺めてしまった。

「そりゃあ、サブローだって男なんだから、こんなことのひとつやふたつ、するんだろうけど……で、でもぉ〜〜〜」

そのうち、頬っぺにチューなどして……こ、これって愛撫じゃん!……という域に達

してしまうと、「友達の愛撫なんて、やっぱり見たかないや」と、驚きが嫌悪感に変わった。

耐えかねて、私は「グッ、グゥホン」と、咳払いをする。

サブローはようやく平静を取り戻し、しばしマリリンを挟んで談笑し合った。が、それも束の間、マリリンは支配人に呼ばれて中座し、別のお客の席へと移って行った。

どうやら彼女は、店一番の売れっ娘《こ》で、凄い数の指名を、ひと晩にこなさなければならないらしい。

「ねぇ、サブロー、あんたって彼女いたよねぇ？」

「うん、いた」

「いいの？　こんなことしてて」

「大丈夫。もう彼女とは別れたもん」

「ええ!? 何で?」

「何でって、マリリンのこと好きだから」

「う、嘘ッ、そ、そんなになの?」

「うん、マジメに結婚考えてる」

私は、彼の結婚という言葉にさらにびっくりして、反射的にマリリンを目で追っかけた。

マリリンは、三つぐらい先のボックス席で、やっぱり中年のおじさんに肩を抱かれて、手を絡《から》め合ったり、くすぐり合ったりしていた。

私はそれを見てドキンとなり、ダイレクトにその視線をサブローに戻した。

「何だよ、その豆鉄砲くらったみたいな顔は?」

「だって、だって、あんたのマリリン、あっちでもチューしてるわよ。平気なの?」

「バカヤロー、平気なわけないさ。でも、仕方ないだろ。マリリンは今、ホステスなんだから、客にお酌して、肩抱かれて、イチャイチャすんのが仕事なんだから」

「それって……、もうマリリンとは将来の約束をしてあるってこと?」

話を突き詰めて、私がそう聞きかけた時だ。

水玉模様のパンタロンスーツを着たホステスさんが、支配人に連れて来られた。

「失礼スマス。ここさいい?」

マリリンよりは多少薹《とう》の立った、小太りのホステスさんだった。

大事な話の腰を折られたが、彼女の東北弁が意外だったので、すぐに私の興味の矛先《ほこさき》はそっちに変わった。

「ワタス、ミリー言います。日本住んだ最初の町、フクスマでその後も仙台や青森サ、東北だったから、ワタス訛《なま》るんだぁ。でも、東北田舎で、皆、とってもスンセツネェ」

ミリーさんは、そう言うとニコニコ笑顔で、私に水割りを作ってくれた。

とてもカンジがいい。

東北弁のせいか、田舎から出てきたばかりの娘さんのような印象だ。

丸顔でエクボが引っ込むので、ポッチャリ型だと思ったが、よくよく傍で見ると、そう太ってもいない。顔はむしろマリリンより小さいくらいだ。

「何で、でっかく見えるんだろう？」

なんとなく疑問が湧《わ》いて、さらに観察すると、彼女が異常に厚着をして着膨《きぶく》れていることに気が付いた。

他のホステスさんは、皆、もっと肌を露出する衣裳を着けている。

誰もがノースリーブだし、ミニか、スリットが大きく入っているスカートを穿《は》いている。

胸元の刳《く》りが大きく開き、胸の谷間が見えるドレスや、ランジェリーファッションのワンピースの人もいるというのに、ミリーさんは襟の立った厚手のパンタロンスーツの上に、さらに共布《ともぎれ》で作られた肩パッド入りボレロのような長袖ジャケットを着込んでいるのだ。

冷房が効いているとはいうものの、店内はかなり賑わっていて、けっこうな熱気がある。

決して寒くはないだろうにと、彼女の顔を覗き込むと、やっぱり小鼻や額に、ミリーさんは薄《うっす》らと汗をかいていた。

「ミリーさん、夏カゼひいちゃったの？　そんなに着ちゃって……。汗かいて、それが冷えると、却《かえ》ってゾクゾクするんじゃあなぁい？」

私は、別に他意は無く、そんなことを彼女に言ってみた。

すると、ミリーさんの顔からフッと笑みが消え、彼女はいきなり切なそうに溜息をつくと、俯《うつむ》いて黙り込んでしまったのだ。

どうしたことかと、私は慌てて「ミリーさん、大丈夫？」と、声を掛けた。

と、彼女は——。

「言葉難スくて、よく分かんねぇけんど、ワタス、少ス病気かもすんねぇ」

ミリーさんは暗い声で、ポツリポツリ話し始めた。

「花サ恐いのよ。……ううん、花は好きだけんど……例えば、酔ったお客さんが、ユリの花とか、くれたりすんべ。……ああ、きれい、ありがとさん、って思ってテーブルの上に飾る……でも……」

ミリーさんは言う。花の蕾《つぼみ》がほころび、だんだん咲いてゆくところまでは、普通に嬉しく感じられる。ところが、花の開き具合がピークに達して、明らかに枯れ始めたと分かった瞬間に、もう花が恐くて恐くて仕方なくなるのだ、と。

私は彼女の様子が、本当に苦しげだったので、身を乗り出して問い返した。

「恐いって何？……どういうこと？　ミリーさん、どうなっちゃうの？」

すると彼女はさらにしかめっ面《つら》になって、「ああ……花サ枯れてる思うと、ミリーたまらねぇ。もう、絶対、花に近づけねぇし、さわれねぇ。パリンパリンに全部枯れてすまえばＯＫだども、その途中、半分枯れて半分生《ナマ》の時……これ凄く恐いです。ミリー、いつも友達にお願いすて、捨ててもらうか、花全部枯れつまうまで近寄んねぇか……」

と、言うのであった。

「じゃあ、その厚着も、花が恐いのと、何か関係あるの？」

私は気になるその格好について、ついに切り出した。

ところが、ところが――。

「いんや、花とは関係ねぇけんど、花サ恐くなったのと同じ頃からかも、ワタスの厚着。フフフ、夏なのに、たくさん着てるなぁ、ワタスったら。でも、なるべくたくさん着ねぇと、ミリーの体、大変よ。ちょっと見てて！」

ミリーさんは自分自身を笑うように、そんなことを喋ると、突然ガバッと立ち上がって、そのごっついボレロと上着を脱いだ。

さらに、さっきからずっとマリリンの姿を目で追っているサブローの横に、彼女はドッカリ座ると、ノースリーブのインナーからヌッと出た腕を、急に、サブローの目の前に持って行った。

「アナタ、いいですか？　ワタスのこの腕、キュッと握ってみてくんろ」

いきなりの彼女のお願い(!?)に、サブローの方は面食らって目をパチクリさせていた。が、それでもモサーッと自分の手を上げて、ミリーさんの二の腕のあたりをムンズと摑んだ。

「まだまだ、そのままにすてて下さいよ。イチ……ニイ……サン……」

四……五……六……七……八……と、八つまで数えたら、ミリーさんは一段と高い声を上げて、「はい、離ステ！」と叫ぶのだった。

何だか、プリンセス天功が新しいマジックにチャレンジする時のような雰囲気。ただならぬ緊張感に圧倒されて、私達はしばし何も言えずにいた。

全体沈黙。……が、しばらくして、ミリーさんがまたしてもガバッと立ち上がり、何やら自分の腕をかかえるようにして、私の隣りの席に戻って来た。そして——。

「ワタスたくさん服着る理由、これです。ほらッ……」

そう言って、今しがた、サブローに握らせた左腕を、今度は私の目の前に出した。

「ゲッ、何だぁ〜これ〜〜〜!!」

何と何と、ミリーさんの二の腕に、くっきり手の跡がつき、そこが何かにかぶれたみたいに、赤く腫《は》れ上がっているではないか。

確かに、さっきは何もなかった。

これが、サブローの手形だと言うのなら、彼女は、まるで本物のプリンセス天功のようだと、言わねばなるまい。

驚いた私は、何からどう質問して良いか、一瞬もたついて、彼女の顔とその手形を代り番こに見比べた。

すると、そんな私に向かって、ミリーさんは自分の方から、今度は手形の事情を、静かに語り始めるのであった。

「ワタス、新宿来て半年。ビッグシティ、お金持ちいっぱいいる。とっても便利なとこ。でも、あんますなずめないね。お客さんスメイしてもらう、競争っこさあるし……。フクスマいかったよ。お客さん、よくジャガイモやトウモロコスくれたなぁ、田舎のんびり、楽すかった。……でも、店つぶれたから……。ワタス、今も、この店でニコニコ一生懸命働いてるし、皆とも仲良くすてる。……でも……新宿さ出てきてから、花恐くなったし……男のお客さんにさわられると、そこさ赤くなって腫れたり……そう、前そんなことないのに……今は、男の人に膝の上とか肩とか手とか、地肌さわられると、そこがバァーと、見る見る真っ赤に膨れ上がって……お客さんもビックスすて、気持つ悪がるから、ワタス、こうすて夏でも厚着すてんのよお」

ミリーさんの話によると、指名のお客さんはどんどん減って、今は、サブローのようにNo.1やNo.2のホステスさん目当てで来るお客さんに場繫《ばつな》ぎの役で、あちこち回されているとのことだった。

店でパッとしないということ、妙な体質になっているということで、もう東京が嫌になり、ミリーさんは早くフィリピンに帰りたがっていた。

しかし、故郷で仕送りを待つ、父母、幼い妹、弟達のために、もうしばらくは頑張らねばならぬというのだった。

私は、疲れきって神経や体に拒否反応のようなものが現れているらしい彼女に、すっかり同情してしまい、「私、また来て、ミリーさん指名するから」なんてキザなセリフを吐いた。

サブローはあい変わらず、マリリン一色《いっしょく》になって遠くを見つめ、当のマリリンは、そこら中でおじさん達に御愛想を振りまいていた。

「それにしても、同じホステスさんでも違うなあ……」

失礼ながら、改めて二人を見比べてしまったが……、女の私には、この不器用で傷つき易《やす》いミリーさんの方が、とても可愛くみえたのであった。

とばっちりにブーン

梅雨だ。

毎日ジトジト。何をやっても今イチ、怠《だる》い季節だ。

特に私は湿気にひどく弱く、雨の日は、頭の中にもうもうと霧がかかっているみたい。

元々低い血圧がさらに下がり、とにかく起きていても眠ってるってなカンジなのだ。

せっかくのワールドカップ、頭をシャッキリさせて燃えたいと、SONYのトリニトロン、ハイビジョンテレビの馬鹿でかいのまで買ったのに、……そう、買ったはいいが、毎夜、毎夜、テレビの見過ぎで、これまた睡眠不足になってしまっている。

先日、ロケの帰り、あんまりカッタルくって歩いてるのが辛《つら》くなり、途中道草をした。

カウンターだけの小さなBARだ。

「ゴメン、マスター、ちょっと休ませて〰〰、私、メチャしんどくってさぁ……」

私は不調な様子を露《あらわ》にして、親しいマスターに鼻声で泣きついた。

マスターは覗き込むようにして私を見ると、何か発見したかのように高い声を出した。

「ホントだ、ひっでぇ顔色。大丈夫？　腹減ってんじゃあないの？」

「食べてるよ、いっぱい。太ったせいもあって、体が重いのよ。湿気に弱いからさぁ、雨の日は血圧が……上が90、下が50もないから……もうクラクラしちゃうのよ。こんな時は少しお酒飲むとね（笑）……ワインの赤、ハーフボトルでちょうだい……」

私はカウンターに、グテッと俯《うつぶ》せになりつつ、そう返した。

すると、私達の話が聞こえたのか、すぐ横のおじさんが割って入ってきて……。

「何、何、怠いの？　今の時季、皆、怠いんだよ。あんまり調子悪いって自分で思い込んでると、思わぬ事故したり、変なものがくっついてきたりするよ、ハハハ。今だって、あんた店に入って来る時、蚊を二匹も連れて来ちゃったよ。知ってる？　元気出さなきゃあ。ねぇ、今からおいらが凄い技《わざ》見せてあげるから、それ見てパーッと盛りあがってよ」

そう言って、おじさんはグラスのウイスキーをクイッと飲み干し、さらに自分の両腕をカウンターの上にガバッとのっけた。

大きく開いた手の平を天井に向け、ダランと力を抜いていた。

そして、黙ったまま、私とマスターの顔を代り番こに見ながらニヤニヤ笑うのであった。

「変なオヤジ！」

勝手に話しかけてきて、何やら独りパフォーマンス（!?）を始めたおじさんを、私はいささか白い眼で見ていた。

と、そこにだ。

ブーンと一匹の蚊（おじさんの話だと、私の連れ）が飛んで来て、おじさんの浅黒い左腕……丁度、注射等をする辺り……にピタッと止まった。

「あっ、刺されるよ」

思わず私は声を上げた。が、おじさんはそれを「シッ」と遮《さえぎ》ると、自分の上の蚊に向かって、「ほら刺せ、刺してみろよ」と、小声で呼び掛けたりするのだった。

で、間もなく。蚊はとうとうチクリおじさんを刺したのだが、その瞬間、彼が急に、「ソリャ〜！」と、どでかい掛け声のようなものを発した。

今までパーだったおじさんの手の平は、掛け声と同時に固く握られ、左腕全体に力が入れられた。

ムキッと力瘤《ちからこぶ》ができ、ポパイのポーズのような体勢ができあがると、おじさんはそのままの状態で、再び息をつめたまま喋り出した。

「ほらほら、見て見て。今、この蚊、おいらのこと刺してるだろ？　刺したからにゃあ、おいらだって、こいつを逃がさないよ。先に攻めてきたのはこいつの方なんだから。こいつの針、腕の筋肉を刺してるだろ？　おいら、キュッと筋肉を締めて、針が抜けないように、ほ〜ら、こうして捕まえてるってわけさ。……へへへ、あせってるのがブーンって伝わってくるよ。へへへ、ざまあみろ」

おじさんはしばし、そうやって、蚊をくっつけたまま自慢げに見せびらかしていた。が、そのうち、「そんじゃあ、そろそろ行くかぁ」と、言うと、いきなりガバッと椅子から立ち上がった。そして、「せ〜の」と気合いを入れて、右手でパチンと自分の左腕を叩いて、蚊をつぶしてしまった。

血をたっぷり吸っていた蚊は、とても無惨な姿になった。

おじさんは私に、「どう、面白かったでしょう？　元気出た？」と、とても満足そうに笑いかけたが、こちらは何だか妙な気分だった。

まるで自分の連れに殺生《せっしょう》をされてしまったような……とまでは言わぬが、目の前であまり見たいもんじゃあなかった。

私は、益々ゲッソリきた。

それでも、自分を励まそうと、してくれたことが原因だと思うと、おじさんにあからさまに嫌な顔もできなかった。

「す、凄いですねぇ。腕ズモウも凄いんでしょうねぇ」

「こんなこと、いつからできるんですか？　腕以外にも技があるんじゃあ……」

「蚊が針を抜きたがって、もがくのが分かるんですか？」

……などなど。

会話せねばと、思いつく限りの質問をしてみた。

が、やっぱり聞けば聞くほど毒気に当てられ、私はとうとう「失礼」と叫んでお手洗いに駆け込んでしまった。

洗面所、鏡の中の自分の顔といったらなかった。どす黒く沈み、眉間に苦悩の縦ジワが寄っていた。

「ああ、こんな顔してるから、気の毒がられてあんなことまで……、やっぱり飲みになんか来るんじゃあなかった」

私はバッグから口紅を取り出し、少しは元気そうにしようと、鏡に向かった。

すると、その時だ。

どこに隠れていたのだろうか、蚊がもう一匹。突然、ブーンと小さな羽音をさせて、私の周りを飛び始めた。

「確か、私が二匹連れて来たって、おじさん言ってたっけ」

思い出して私は、何だかこの蚊に申し訳ない気持ちになった。

「ブーン」は、「バカヤロー」なのかもしれないと思った。

せめておじさんの筋肉パワーの第二の標的にされぬよう、お前ばかりは逃げてくれ……というつもりで、私はトイレの電気を消し、窓を開け放ったのであった。

突発的アッチッチ

「ギャ〜〜〜〜〜〜!!」

朝っぱらから、私は途轍《とてつ》もなくでっかい叫び声を上げた。

何故って、自分のうなじがジュッと焼けたからだ。メイクスタンバイの時、ベテランメイクさんの手がツルリ滑《すべ》ってしまったのだ。

以前にもある。

美容院で……頭のテッペン辺りひと握りを結わえてもらう時。ゴムの端っこをパチンと切ろうとした美容師さんの手がツルリ。髪の毛の一部がバサッと切れて、テッペンつんつんのテクノヘアー……というかカッパ型……というか、……つまり、毛が立ってオバQみたいになった。

また、ある時も、前髪をブローしようとした美容師さんの手がツルリ滑って、私の目ん玉も一緒にブロー。イテッとなるかならないかの微妙なところで目を閉じたので、まつ毛がバッチリブローとあいなったが、……今、思い出してもゾクリ恐くなる。

ともすれば、美容器具が凶器にもなり得る事を、数々の経験で私は知っていた。

それにもかかわらず、この日私は、よりによって肩にケープを掛けるのを嫌がった。

「暑いからさ、いいよ、このまんまでさ」

高温になった金属のコテでカールをつけてもらっているのに……だ。全ては、自業自得というもの。気の毒に、メイクさんは泣きそうな顔で走りまわって、氷やら薬やらをかき集め、私のうなじを手当てしてくれたのであった。

さて、火傷《やけど》の処置が早かったので、幸いうなじは、ひどい水ぶくれにもならずに済んだ。

「やっぱり火傷は冷やすに限るねぇ」

私はエヘラエヘラそんな事を言いつつ、塗ってもらった薬の上にガーゼをあて、さらにその上から『ひえたろう』を貼り付けた。

ヘアースタイルでごまかして、何とかこの状態で仕事をきりぬけると、やがて痛みも段々とやわらいできた。

ホッと落ち着いたのをいい事に、私はその晩、『ひえたろう』を貼ったまま、新宿のBARに一人寄ってしまった。

「どうしたのシゲルチャン、……そのうなじ!?」

普段、病気やケガなど、ほとんどしない私は、誰かにそう同情してもらいたいような、子供っぽい気持ちにちょっぴりなっていた。

カウンターに腰掛け、バーボンのソーダ割りを注文するや否や、「あ〜〜あ〜〜」などと溜息をつきながら、首筋に手をもって行き、髪を横っちょに掻《か》き分けたりした。

当然、カウンターの中のママがガーゼを発見。即、火傷話に移ったわけだが、この時、私の隣りで飲んでいた見知らぬ男性客が、私達の会話に割り込んできた。

「見ますぅ？　俺のもっと凄い火傷！」

四十歳ぐらいのその男は、やけにすわった目を向け、低い声でそう言った。

突飛《とっぴ》なその発言には、私もママも何とも反応できず、ポカーンとただ口を開けるばかり。すると男は、その沈黙を打ち破るかのごとき勢いで立ち上がり、自らのバミューダ・パンツの片方の裾《すそ》をクルクルと捲《ま》き上げてゆくのであった。

「梅雨《つゆ》に入っちゃったし、バミューダを穿《は》くにゃあ、ちと涼し過ぎるんだけど……仕方ないんだよね。火傷薬、しょっちゅう塗りかえなきゃなんないから……ヨイショッと……」

トランクスの先っぽが見える所まで上げると、右太股のつけ根に貼りつけられた、約十五センチ四方のガーゼが顔を出した。

男は、あたかも大切な宝物を扱うような神妙な手つきになり、絆創膏《ばんそうこう》をひとつひとつ丁寧に剝《は》がしてゆく。

そして、「そんじゃあ、行くからね」と、私とママに合図すると、「ジャア〜〜ン！」と言って注目のガーゼをパラリめくった。

前振りが大袈裟《おおげさ》だったので多少覚悟はしていたものの、男の太股の火傷の凄さときたら、想像をはるかに超えていた。

水ぶくれが潰れて、グジャグジャになった痕《あと》に薄皮が張っていた。私のうなじの火傷など、これに比べたら足元にも及ばない。蚊にでも刺されたぐらいのものにしか見えなかった。

「どうしたの〜〜、それッ？」

私とママがハッと息を呑んだ後、声をピッタリ合わせて叫んだ。

男は私達の大きな驚きに満足したのか、チラリ笑顔を浮かべると、ちょっと勿体ぶったカンジで喋り始めた。

「それがさぁ、ホントにビックリしたのなんのって……そんなの言ってくんなきゃあ、分かんないぜっつうの！　俺さぁ、昔っからタバコはやわ紙のマルボロ、ライターはジッポーって決めてんのにさぁ……たまんないぜ。実は、この間アラスカにシャケ釣りに行ったんだけど……そん時に……」

先週釣りをしにアラスカに行った折、男は飛行機の中でこの火傷を負ってしまったと言うのである。

何と、原因はジッポーのライターの中に入れるオイルなのだそうだ。

搭乗時の持ち物チェックの際に、ライターオイルの缶を持ち込んではならぬと没収された。ならば、せめてライターの中に出来る限りのオイルを入れておきたいと申し出て、溢《あふ》れんばかりにオイルをしみ込ませて、それをジーパンの前ポケットにつっ込んだのだが……。

ただし、火を点《つ》けて、ジッポーライターで太股を火傷したのではない。

男は特に何かやったわけでもなく、終始ただポケットにライターを入れていたせいで火傷した。

たっぷり入ったオイルがしみ出て、これが勝手に熱を……というか、自然に熱を持ち、長い長いフライトの間に低温火傷をしてしまったのだ。

「何だか太股がポーッと熱いなぁって俺も道中思ったんだよなぁ。でも、しこたまワイン飲んでたし……いい気分で眠っちまってたからなぁ。こんなに凄い事んなってるなんてちいとも思わなくて、向うのホテルに着いて仰天！　つうわけだよ。オイルで何で低温火傷すんのかは今もよく分かんねえんだけど……でも、これ、しっかり火傷だもんなぁ……」

男はそこまで説明しおえると、自分のショルダーバッグの中から治療用のキット一式を取り出した。そして、薬を手慣れたカンジですり込むと、再び神妙な手つきでガーゼをあて、さらにその上から一本一本絆創膏を貼ってゆくのであった。

私は自分の軽い火傷を代償にして、もっと重大な火傷話を聞いた気分になっていた。だから男に、「大事なもの見せてもらって……ありがとう」と何故かお礼まで言ってしまったのである。

イスタンブール、ハマムにはまる!

大好きなトルコに行った。

「♪翔《と》んでイスタンブール〰〰ルンルン♬」

残念ながら、レジャーじゃなくて仕事。でも、やっぱり何てったって翔んでイスタンブールなんだから、私奴《め》も、ちょいと一人でプラプラしたいじゃあないの。

で、早速、夜のクムカプ、サムサ通りで旨《うま》い肴で一杯やる前に、ちょっくら、ひとっ風呂浴びるかと思ってハマムに行った。

ハマムとは、昔からあるトルコ風呂の事だ。

(㊟ソープじゃあないよ!!)

以前、日テレの『進め!電波少年』で、猿岩石に救援物資を届けに行った時、理由《わけ》あって、アンタルヤという田舎町のハマムで、アカスリ嬢のアルバイトをやった事がある。

その時、二十二人のトルコ男性の体を洗ったので、この私、ハマムにかけちゃあ、ちょいとウルサイ口《くち》だ。

私は旧友に会いに行くような懐かしい気持ちで、チャンベルタッシュのハマムを訪れた。

さすが、都会のド真ン中にあるハマムは違う。脱衣場に床屋コーナーや喫茶コーナーありのゴージャスさで、すこぶる大きく、外国人観光客でごったがえしている。

私は、ハマムの要領はよく心得ているので取り敢えず何のとまどいもなく、大きなスカーフみたいな布を巻いて浴室にスッスと入って行った。

しかし、いざ中央にある十二角形の大理石の巨大ベッドで、花びら状に横たわるいろんな外国人のおばちゃんの裸に混じって寝っころがる段になると、心臓がドキドキして何だか急に恥ずかしくなってしまった。

私は身長百六十センチの体重四十八キロ。至って普通のカラダなのだが、この……世界のおばちゃん達の、ドッカーンというか、タップ〜ンというか……ジューシーなと言うべきか……とにかく派手派手しい裸の前では、痩せっぽちな子供……というか、まるで小枝チョコみたいにしか見えないのだ。

小枝チョコは明らかに多国籍軍の裸の中では浮きまくっている。

私が「ど、ど、どこに入れてもらおうか!?」と、キョトキョトしていると、それまで俯《うつぶ》せに寝そべっていた多国籍軍の裸が一斉に背筋運動の姿勢になって、頭がムンズと反《そ》り返った。

まるで花びらが何かの刺激で反ったみたいだ。

そして、その花びらの先っちょの三十〜四十の目にチクリ一瞥《いちべつ》をくらわされると、いよいよ私は縮こまってしまうのである。

「ヒェ〜、ハ、ハロー」

こんなんじゃあ、迫力に押されっぱなしで、ベッドの上に混ぜてもらう事すらできない。

この先、スチームで体を暖めて、それからマッサージやアカスリを受けねばならぬというのに……。ここはひとつ、大和魂で頑張って場所を空けてもらうしかないかあ。

私は、「何とかせねば！」という必死の思いで、裸の女性達一人一人を、今度はチロチロ盗み見るようにして様子を窺《うかが》った。

で、比較的小ぢんまりした印象の、ブルーネットと銀髪の女性に狙いを定めて、思いきって声を掛けてみた。

「エ、エックスキューズミー。プリーズ、ギブ、ミー、ジィス、スペース……ア、リトル……プリーズ……プリーズ……すんません……パ……パードン」

声は掠《かす》れ、しどろもどろであった。が、このお願いのセリフが終わらぬうちに、銀髪のおばちゃんがニコリと笑って「Ｏｈ！　カモン」と言ってくれたのだ。

ドイツ語らしき言葉を話しながら、ブルーネットの方にカラダを横移動させて、場所を空けてくれるのだった。

私はペコペコおじぎをして、ヨイショッ！　と、大理石のステージに上がった。

何はともあれ、布をペラッと敷いてその上に寝ころんで、ようやくひと息ついたのである。


浴室の中はとても静かだった。

モスクのような半円形の天井に丸い穴がいくつも空いており、そこからやわらかな光が射し込んでいた。

私は仰向けに寝て、ボンヤリその天井を見つめていた。

世界の裸と一緒に寝そべっていると、まるで自分が、エーゲ海や地中海のビーチで、トップレスでカラダを焼く外国人になったような気分だった。

私は自分が小枝チョコだという事をすっかり忘れて、バカンスを楽しんだ。

天井の穴は全部で百三十二個空いていた。

ドンドン気持ち良くなって、「ああ、太陽がいっぱいだぁ〜」なんて独り言《ご》ちながら、お調子に乗って穴の数を数えてみたから確かだ。

私はもう、バスト百、ウエスト五十六、ヒップ百の気分で金色の日射しを浴びていた。

ところが、ところが……その時だ。

突然、メチャクチャ懐かしい言葉が聞こえてきたのだ。

「ワァ〜、エライ広いでぇ〜」

「ホンマや、これ全部、大理石とちゃう？」

「豪勢でんなぁ？　しっかし、ぎょうさんお客入ってるわ」

その声は、あまりにも突飛に浴室中に響きわたったので、私はギョッとなって半身、体を起こして入り口を見た。

出たぁ!!……日本の……いや、大阪のおばちゃん五人衆だ。

遺跡めぐりツアーでやって来た、仲良し五人組なのかもしれない。

エーゲ海が、いきなり須磨の海水浴場に見えた。

私はにぎやかな関西弁に当てられて、一瞬絶句したが、それでもようやく仲間が来てくれて、「助かったぁ〜」という安心感も湧いた。

大阪のおばちゃん五人衆の存在感ときたら圧倒的なものがあった。

これには多分、世界のおばちゃん達もドキリとしたはずだ。

それが証拠には、おばちゃんが「ちょっとあんたら、そこ詰《つ》めてや！」と生粋《きっすい》の関西弁で喋っているにもかかわらず、即座に通じてしまうのだから。

フランス語を話す金髪のおばちゃん群がササッと左右に詰め合うと、大理石の上にパ

ックリ大きなスペースが空いたのであった。

いよいよ、この五人衆が加わって、大理石の巨大ベッドの上は、世界中の裸のおばちゃんでいっぱいだ。

芋の子を洗うような混雑ぶりだが、私はようやく心底《しんそこ》安心して、やわらかなスチームを体全体で楽しめるカンジになりつつあった。

と、さらにそんなところにたたみかけるように……何と真打ち登場！

地元のマッサージ師のおばさん軍団が、ドッカ〜〜ンと現れたのだ。

「す、凄い、迫力〜〜〜！　ビ、美人だけど……だけど……デカ過ぎるぅ〜〜〜」

颯爽《さっそう》とした雰囲気は、まるで競技場に現れた闘牛士みたいだが、十二角形の大理石を皆でグルリ囲んで回り始めると、それはもう、はっきり大相撲の揃い踏みにしか見えなかった。

パンツ一丁の女力士は、各々のポジションにつくと、キリッとした表情でアカスリグローブを手に嵌《は》める。

そして、そのグローブの調子を点検するかのように、パンッ、パンッと、自分の体のあちこちを叩くのだが、さすがにこの時、大阪のおばちゃん五人衆からも、どよめきの声があがった。

「ウオ〜〜、やりまんがなッ！」

「武蔵丸はんが四股《しこ》踏んではるみたいやなぁ〜〜」

やっぱり日本人だ。

おばちゃん達も、まったく同時に、同じ事を連想してしまったらしい。

さて、まるで儀式のようなこのスタンバイが済むと、一人のマッサージ師さんが、

「OK、マッサージ？」

と、大きな声で叫んだ。

いよいよアカスリの始まりらしい。

アカスリやマッサージを受けたい人は、入浴料とは別に料金を払って、オレンジ色の札《ふだ》をもらっているのだが、それには特に順番のようなものは書かれていないので、どうやら自分から率先して申し出るらしい。

武蔵丸さんとチラリ視線が合うが、そのマッチョなお姿にすっかり圧倒されていた私は、思わずマッサージの札を手の平に握りしめ、コソコソと下を向いてしまった。

すると間髪《かんぱつ》を容れず、私のすぐそばにいた、黒髪のソフィア・ローレン似のイタリア系マダムが、「アッ、ハーン！」と言って武蔵丸さんの前に躍り出たのだ。

マダムもなかなか見事な体格の持ち主で……、そう、力士にたとえるなら旭鷲山ぐらいはある。

よって二人の洗い、洗われる姿は、土俵上の相撲にも劣らぬ程の迫力があった。

ツッパリ、ツッパリ……ノドワ、ノドワ……、いや、失礼。ゴシゴシ磨きあげる腕の運びは、さすがプロ！　とても素早く、パワフルであった。

旭鷲山のボリュームのある白い背中がピンク色に染まり、これでもか、これでもかッ、というくらいアカが噴き出した。

慣れぬ私は、しばしポカンと口を開けて二人の様子を見つめ、それから、「あんなにアカ出ちゃって凄いよね」といった顔で、同意を求めに大阪のおばちゃん達の方を振り返った。が、……何と、後ろの方で五人衆は、すでに二名のマッサージ師さんをキープして、代り番こにアカスリをやってもらっていた。

大阪のおばちゃんは、欧米人に比べると、さすがにかなり華奢《きゃしゃ》に見える。皮膚の感じも肌理《きめ》が細かくて薄く、中年の博多人形みたいとも言えるのだが……果たして、そんなヤワなカラダで、このパワーを受ける事ができるものなのだろうか？　いささか心配になり、私は彼女らの様子をジッと見直した。

ところが、どっこい。

やっぱり大阪のおばちゃんのガッツとパワーは凄い。伊達《だて》じゃない。最初、俯せになってマッサージ師さん（こちら琴の若似）に背中を任せていたおばちゃんだが、ムックリと起き上がったかと思うといきなり捲《まく》し立てた。

「何やあんた、それじゃあ力《ちから》、足らへんわ。もっとゴシゴシ、強うやってや」

その大声できつい言い方に私もギョッとなる。

おばちゃんは、言葉が通じないと思ったのか、さらに、背中をスックと伸ばし、自らの手で、自分の背中をバシバシ叩き、「ここ、ここッ」を連発しはじめた。

「あんなに強くやってんのに……まだぁ……!?……ウッソ〜〜！」

もう背中は、真っ赤に燃えてるみたいな色になっている。何がまだ足りないと言うのだろう？　ひょっとしたら、普段おばちゃんがやっている乾布《かんぷ》摩擦の方がもっとハードなのかも。

リクエストされた琴の若さんの方は、さすがにしばし呆気《あっけ》に取られていた。が、それでもそのうち、おばちゃんの大阪弁が通じたと見え、人の良さそうな笑顔で「OK、OK」と首を大きく振った。

そして、琴の若さんは額に汗して、体中の力をふりしぼって、大阪のおばちゃんにサービスしたのである。

私はあちこちで繰り広げられる、ハードだがアットホームな光景に、すっかり緊張もほぐれ、リラックスしてきた。

体はスチームでポカポカ暖まったし、充分横にもなったので、洗い場に行って、一人ササッと流して、もうあがってもいいかも……と思った。

皆さんのを見学させてもらって、何だか自分もあちこちアカスリやマッサージしてもらった気分になっていたのだ。

「お腹もすいてきたし、今日のところはこれで……」

そうだ、今度はやっぱり自分も友達と出直そう！……そう思って立ち上がろうとした時だ。

「ヘイ、ジャポンヌ」

後ろから肩を叩かれ振り向くと、そこには新顔のおばちゃんが、ふっくらマシュマロみたいにとろけそうな笑顔で立っていた。

体は武蔵丸、琴の若……というよりも、さらにポッチャリ……ムムム、そうだ曙？……曙といったカンジ。

その曙さんが、ついに私に、

「マッサージ？」

と、声をかけてきたのだ。

見れば、でっかいグローブを嵌めてスタンバッている。

私はその迫力に圧倒されて、それまで隠すようにして握りしめていたマッサージ札を、ポロリと落っことしてしまった。

すると、そいつがコロンコロンと大理石のベッドの上を転がって、曙さんの元へ。

「ＯＫベイビー、カモン」

彼女に手招きされて、いよいよアカスリ＆マッサージ開始とあいなった。

十二角形の大理石巨大ベッドの一辺で、私は緊張のあまりコチコチに「気を付け」をしたまま寝そべった。

曙さんの前じゃあ貧弱な私なぞ、ただの一本の小枝チョコ……いや、マッチ棒にしか過ぎない。

きっと世界のおばちゃん達の誰の目にもそう映ったのだろう。もの珍しいのか、私達の周りに見学の人だかりが出来てしまった。

間もなく、曙さんが私の体を巻き寿司を転がすような手つきで前方にコロンと押し出

し、見事に裏返しにしたところで、

「オオ〜〜〜！」

という歓声があがった。

そして、ザパーンと湯をかけられ、大きくズルンとひと擦りされただけでアカが飛び散ったらしく、続いて、

「イエ〜イ！」

という響動《どよ》めきが起こった。

ゴシゴシ……「グレート！」

ゴシゴシ……「ジーザス！」

まるで餅《もち》をつく人と、水で合の手を入れる人のようなタイミングの擬音を耳にして、私は自分の背中が因幡《いなば》の素兎《しろうさぎ》……いや、カチカチ山の狸になっているみたいな気がしていた。

しかし、恥ずかしいのも痛いのも通り越し、やがてそれが燃えるようなカイカン(!?)に変わった頃、今度は曙さんの手前にひところがしされ、私は再び仰向けになったのだった。

久し振りに目と目が合うと、彼女は得意満面の笑みを浮かべて、私にパチンとウインクしてくれた。

とってもキュートだった。

体の表側がどんな風に擦られるのかと、私には新たな緊張が訪れていたが、この仕種《しぐさ》のおかげで少し和らいだ。

もういい。全て、この人にお任せしよう、という気持ちで臨む。

足の甲、向う脛《ずね》、太股をゴシゴシ。

もうすっかり私の肌質を把握したかのような、見事な洗いっぷり。

さらに骨盤の側部、おへその周り、肋骨へとグローブが移動し、いよいよ問題の胸元付近へとやってきた。

「オ、オ、オッパイは……ま、まさか……でしょう!?」

きっとそこだけは、素っ飛ばして、肩や首の方に行ってくれるものとばかり信じていた。

しかし……。その願いはあっけなく打ち消され、曙さんのグローブは、しっかり私の胸の上を集中的に磨き始めてしまった。

私はパチパチに体をこわばらせ、

「キ……キイ……キイ……キイ……」

と、三回声を発した。

何故これがヒイではないのか？

それは曙さんへの気遣いだった。

ヒイ〰〰などという悲鳴のような声を漏らしてしまっては、せっかく熱心に洗って下さっている曙さんに失礼だという思いが、私に『ヒ』を我慢させたのだ。

が、それでも、この声を聞きつけた人があった。

遠くの方から、大阪五人衆のおばちゃんの一人が叫んだのだ。

「ああ〰〰、あかん、あんなに体、力《りき》ませて。アカスリはリラックスせな、アカ出ぇへんよ」

そうだ。たとえ「キイ」だろうが言ってはならぬ。リラックスが肝心だった。

私は大阪のおばちゃんの忠告を素直に聞いて、全身の力を一気に抜いてみた。

すると、洗っている曙さん本人に、この事が伝わったのだろう。

彼女はとても嬉しそうな顔になって、「GOOD？」「グウ――？」と、私に語りかけてくるのであった。

さて、手の先から、足の爪先まで、もう体にはひとかけらのアカも無いぞというほどに、アカスリをしてもらい、マッサージに移った。

首筋や肩、背中、腰を、キュー、キュー、キューと指圧し、さらに大きな布袋いっぱいにシャボンを泡立てて、そいつで体中を磨きあげてくれた。

そしていよいよ仕上げ――。

曙さんは、もう夢うつつにポケーッとなっている私をベッドから抱き起こし、軽々と抱えて洗い場の方に移動した。

フィニッシュのシャンプーである。

曙さんはまるで子供をだっこするようなスタイルで、私の背中に手を回し、後ろから首のつけ根を押さえて髪にシャボンを塗りつけた。

私のすぐ目の前、曙さんのゴージャスなバストが大きく揺れている。

頭の真後ろを洗おうと、彼女が前に乗り出した時、私の顔面はついに曙さんの胸に自然にスリスリっとなってしまった。

「ヒ……キ……チイ〜〜〜」

少し迷ってから、今度私はチイ、と鳴いた。

女の人の胸に顔をうずめるなんて、自分の記憶では、子供の頃、母の胸にうずめて以来である。

ひどく恥ずかしいような、それでいて何だか懐かしいような……不思議な感覚に戸惑って、私はドギマギしていた。

それでも曙さんは、まるで落ち着いていて、駄々をこねる子供の髪をシャンプーする時のように、唄まで歌ってくれたりして……。

多分あれは、トルコの子守唄ではなかったかと思うのだが、私は遠い異国の母性に触れて、そのうち曙さんの胸の中でトロトロ眠気を催してしまったのである。

ありがとう曙さん、また逢う日まで。

まさかの恐い夢

「ねえ、聞いて下さいよ、僕の話！」
お盆明けに、近所の喫茶店でブラブラ油を売っていたら、マスターがカウンター越しに話しかけてきた。ちょっぴり声を潜《ひそ》め、ただならぬ様子。
㋮「お盆だったからかなぁ。変な夢見たんだよね」
㊫「ほう。ひょっとして恐い夢？」
㋮「恐い恐い。何であんなの見たのか俺……。ジトジト雨の日。もうそろそろ店閉めようと思ってる夜中の十二時に、カランと表の扉が開いて喪服の女がスーッて入ってくんだよ。『グァテマラ』って言うと、そのまま席に着かずに奥のトイレの中へ……。出てこないなぁと思ってると、またカランッて表の扉が開いて、またまた喪服の女が一人……。今度は『モカ』を注文して、やっぱりトイレの中へと」
話の触《さわ》りを聞いただけで、鳥肌が立った。

こりゃあ、いける。この夏聞いた中で、ひょっとしたら一番恐いかも。私はドキドキして身をのり出した。

(室)「ちょっと待ったぁ。その話、メチャンコ恐そうだけど、夢なんだよね」

㋮「夢だけど凄いよ。喪服は着物だし、女は青白い肌のうりざね顔の美人ときてる」

(室)「ほほう。……で、どうしたの？　まさか三人目の喪服女が現れたんじゃあ……」

㋮「そう。三人目も着物で、今度は『ブラジルサントス』って言って、奥に……。トイレの個室は一個しかないのに、中からはいっこうに誰も出て来ない。恐くて俺はドアをノックすることが出来ず、自分の淹《い》れた三杯のコーヒーを前にしたまま、永遠に店を閉められないって夢なんだよ〜〜〜」

私は成程！　と、大きく頷《うなず》いた。

久し振りに盆休みというBIGバカンスを取って、のんびり出来たのに、明日からまた働くんだと思ったら、その拒否反応が出て、マスターはそんな夢を見たのでは……と思ったのだ。

ところが、ところが……。

㋮「それが夕《ゆん》べ、来たんだよ。ズバリ喪服の女が」

㊛「エーッ、ホント、ホント、ホント！」

㋮「着物じゃなくて、ワンピースやスーツだったけど」

㊛「何⁉ 一人じゃあなくって……」

㋮「やっぱり三人だよ」

㊛「ってことは、正夢だったんだ！」

㋮「お客が引けたんで十時半頃、店閉めようと思ったところに……三人のおばちゃんが。多分、法事か通夜かの帰りだと思うけど、そろってカウンターに腰かけて……」

㊛「まさか、『グァテマラ』『モカ』『ブラジルサントス』って言ったんじゃあないでしょうね」

㋮「言ったんだよそれが。全く夢のまんま」

㊛「ヒェ〰〰、恐〰〰〰いよ〰〰〰。で、何、他にお客は？ トイレなんかにも行っちゃった？」

私は自分の息がハアハアと荒くなってゆくのが分かった。

㋮「他に客は無し。三人共、代り番こだけど勿論トイレにも行く。行くとこれが結構長くって。そのうち、亡くなった人の話がヒソヒソと始まって。涙ぐむおばちゃんとかも出てきて……。コーヒー一杯で気が遠くなるほど粘られて……。でも、俺、夢の件があるから、『もう、そろそろ閉めたい』って言うと何だかバチが当たりそうで……」

㊫「つまり、夢同様、カウンターの前で、帰るに帰れない状態になっちゃったってわけだ。う〜ん、それ、ホント正夢だねぇ」

マスターは、うりざね顔の美人じゃあなかったのが残念なような、でも、それで助かったような、変なカンジだと苦笑いを浮かべていた。

話を聞き終えて、私はうらやましかったが、それでも何だか、ちと物足りないような気にもなった。

この話、まるごと自分自身の経験なら、とびっきりの不思議体験として皆に披露したいレベルに達していると思うが、人の話だと、今一つ……。もっと決定的に恐い物を見たいというか、恐い実体のようなものが欲しいところ。喪服の女というのがすこぶる面白いだけに、実におしい！　と、私は思った。

もっと恐がりたかったのに……という思いが残ったせいか、夜、私は喫茶店の前で喪服を着たきつね目の女に、お清めの塩をふりかけている夢まで見た。目が覚めて、さすがに『私ったら、こんなの見ちゃった』という不気味なカンジに魘《おそ》われたものだ。

そして、その夢の中で、一つ妙に生々しく残ったものがあった。それは、私を見つめるその女の目だったのだが……。

さて、実はその日、今度は私がゾクリとなる夢の続きが起きてしまった。

真夜中の銀座東急ホテルのレストラン・バーで。

仕事の後、軽く一杯飲んでお開きになり、レジの傍を通りかかった時だ。そこに積んであるチラシに、チラリ目が行った。

二色刷りの、どちらかと言えば地味な絵柄のチラシだったが、何となく手に取ってみると、おどろおどろしい字で、『稲川淳二 納涼怪談ディナーショー』とか何とか書かれてあった。

演目には、呪いのトンネルだとか、墓石のすすり泣きがどうしたこうしたと、具体的に恐そうなことが並べられて……。

「こ、こんなのやってる。どこで……何やるんだろう……稲川さんたら……」

独り言を言いながらマジマジと見ていたら、すぐ傍のボーイさんが、「私共のホテルでもやっております。是非いらして下さい」と、にこやかに答えてくれた。

「ディナーショーで怪談って面白そう。じゃあ、一枚もらっていきます」

そう言って、一歩前へ踏み出そうとした時だ。

その、目の前のボーイさんが、「あっ、ちょっと……」と、私を引き止めた。

そして私の手からチラシを取りあげ、「本当はこっち側から見るんですよ」と、逆様《さかさま》にして私に返してきた。

ヘッ!?　となって再びチラシを見ると……、桜の木の傍にあった、大きなカーブミラーの中に、さっきは確認できなかった二つの切れ長の目が、くっきり見てとれるではないか。

「こ、こ、これは！」

それはまさしく、私があの夢で見た喪服の女の目。そのきつね目は冷たく私を睨みつけていた。

「ヒェ〜〜〜〜〜〜〜〜〜〜〜〜〜〜〜〜〜〜〜」

咄嗟《とっさ》にバンザイした私は、チラシを投げ捨て、飛び上がって叫んだ。

すると、「そんなに恐いですか〜〜」と目を細めて笑うボーイさんの目まで同じように見え、……私は脱兎のごとく、その場から駆け出したのであった。

貪欲に恐がりたがっていた私に、何者かがプレゼントしてくれた『マスターの夢のオチ』だったのかもしれない。

楽しい旅についたケチ

「本当に頭にきちゃうのよ」

この夏、ヨーロッパ旅行から帰って来たばかりのA子がプリプリ怒っている。全く夏休みのなかった私は、彼女のBIGバカンスが羨《うらや》ましくて仕方なかったので、その態度はちょっと意外だった。

目を丸くして原因を尋ねると、A子は身をのり出して喋り出した。

「空港の税関でひどい目にあったの。身に覚えないのに、『ちょっと、こちらへ』って、いきなり男の人に別の所に連れてかれて、洋服とか雑用品とか化粧ポーチとか、細かく調べられて。特別高額のおみやげなんて買ってないし、危ない物を隠し持つわけもないのに……。散々、人の荷物ネチネチ見といて、『はい、いいです』だけなのよ。『お手数かけました』のひと言があったっていいでしょう。隣りの方から、『調べるんなら全員調べろ、バカヤロー』って怒鳴ってるオッチャンの声がしたけど、気持ちバリバリ分かるわよ」

A子の剣幕の理由はこれのせいだけではなかった。もう一度、バッグの中身を詰め直す作業に手間取ってしまったため、せっかく成田まで迎えに来てくれた彼氏と行き違いになり、大喧嘩になったことにあった。

「そりゃあ、大変だったねぇ」

調べるんなら全員やるべき、不公平よ！　と言いたくなるA子の気持ちは分からないでもない。

しかし、この話を聞いた時点で、調べられた経験のない私には、さほどピンとこなかった気がする。ところが……。

A子の愚痴を聞いた、すぐ後だ。

取材旅行から帰国した私にも同じ事が起きた。私は関西空港でだった。

東南アジアにチープな旅行をしてきた私は、ボロボロのTシャツにズダ袋ひとつ。他の取材スタッフも、ひどくきたない格好であった。

どう見てもブランド品を買い過ぎている風には見えないはず。それでは一体、何を疑っているのか？　残りはズバリ、麻薬とか、ヤバイもの関係しかないと思うが……。もし、そうだとしたら、そう疑われたというだけでも、とても腹が立つし、悲しい。

が、そう冷静にいちいち思っている間もなく、私達取材班は、『ちょっと、こっちに』

と、税関のおじさんに別室に引っぱられてしまった。

一瞬キョトンとなって、アレヨ、アレヨ、という感じだった。

別室はガランとしたネズミ色っぽい部屋だった。

いきなり、私のズダ袋を、おっちゃんの検査官が開けて、中の荷物を出し始めた。そして、一つ取り上げて開けようとしたビニール袋だが、それには私の使用済みの下着が入っていた。

「えっ!? ウソ。それ、下着……」

びっくりして、私は初めて声を出した。カーテンの入り口の方にいたスタッフが、私のその言葉に気がついてくれて、途端に大声を上げた。

「アンタ、失礼だろ、女性だぞ! いないのかよ、女性の検査官!」

そりゃ、そうだ。しばし茫然となっていたが、私も我に返ってムカッ腹が立った。

いくら私がオバサンだからってひどすぎる。オバサンはもう女じゃないと思っているのだろうか? 私だって一応女だ。使った下着を……いや、使ってなくったって、自分の下着や生理用品を、見知らぬおっちゃんに見られたくはない。それでなくとも、身なりがひどいというだけで、こんな所に連れて来られる覚えは何もないのである。

「そ、そうよ。ひどい。……お、女の人呼んで下さいよ」

私も遅れ馳せながら、言ってみた。

するとの奥の方から、しばらくして女性の検査官が……。

「何さ、いるんじゃん、女の人。だったら何でおっちゃんが、荷物調べんのよ！　ク〜、これって、ただの手抜き、職務怠慢……いや、セクハラじゃん」

怒鳴ってやりたい気持ちでいっぱいだったが、私はその言葉を吐き出せなかった。

何故って、やって来た女性の検査官がとても人の良さそうな……そう、タレントの柴田理恵ちゃんにクリソツな人だったから。

理恵ちゃんと私は同郷で、けっこう仲がいい。仕事で一緒になると、帰りにお酒を飲みに行ったりもする。

つまり、友達に似ている彼女に無闇《むやみ》に怒ったりできず、ここで私のムカツキはやや収まったのである。

「ボロばっかりですから……恥ずかしいんですよ、私。まさか、人に見られるなんて思ってもいなかったから……」

私は素直に自分の気持ちを彼女に言った。

「買い物旅行じゃないんで、あえて贅沢《ぜいたく》は自粛なんですよ。私、勿論、絶対変なものなんて持ってないし、いえ、怪しんでるなら、もっともっとよく調べてくれていいですけど……」

理恵ちゃんだと思うと不思議と嫌な気持ちにはならなかった。彼女も私の発言に、ひとつひとつ相槌を打ってくれて、調べたものから順にキチンとまた仕舞ってくれるのであった。

持ち物検査はやがて終了した。理恵ちゃんは、「はい、結構です」と言って去って行った。私も荷物を仕舞い直し、ひもを結び、検査室を出ようとした。

ところが、ここでもう一つ。また別の検査官がやって来て、いきなり住所と電話番号を書くように言われたのだ。

書かねばならぬ義務づけでもあるのだろうか？　何もまずい事が無かったのに、急に現れた見知らぬ検査官に自分の住所や電話番号を教えたくはない。理恵ちゃんが何故来ないのか？

困った私は、会社の住所と番号を書いたのだが、『自宅を書きなさいッ！』と言われてしまった。

「私んち、いたずら電話多いから、あんまり知らない人には……大阪弁の知らない声聞いたら、オタクだって思っちゃうし……」などと、いきなり芸能人ぶって最大限のイヤミも言ってみたものの、それもかなわなかった。

私は何故なのか分からぬまま、自宅の住所と電話番号を書いて出てきたのだ。

釈然としない思いが残った。

さらに落ち着いて考えてみると、検査官の仕事とは随分気の毒な仕事だとも思った。

疑われて喜ぶ人など誰もいないからである。

でも、だからこそ逆に、もう少し皆が心おだやかに協力できるような笑顔が欲しいと思うのだ。こんな所に、身に覚えがないのに連れて来られるオバサンは、皆脅《おび》えて当然ではないか。

最初っから最後まで、責任持って『柴田理恵』ちゃんを女性にはつけるデリカシーが欲しいところ。是非とも御一考願いたいのです。

新しもの好き

　そもそもの始まりは、あの朝だった。

「もうすぐ新番組の『凍りつく夏』の収録も始まるし、麻雀やって遊んでられるのも今のうち……」

　なんて思ったのがきっかけだ。

　そうだ。それでついつい雀荘で徹マンになってしまい、気がついたらもう白々《しらじら》と、すっかり朝。

「おっと、いけない」と、慌てて飛び出したが、外はあいにくの雨で、……仕方なく、乗ってきた自転車をそのまま駅前周辺の、自転車がゴジャゴジャ溜まっている所に置き去りにしてきた。それで……、その夕方、雨があがるのを待って、取りに行った時には、私の自転車はもうなくなっていたのだ。

　新品のものじゃあなかったが、それなりにけっこう可愛い奴《ヤツ》だった。

当然、贔屓目《ひいきめ》な思い入れのようなものもタップリあって、私は「絶対に盗まれた！」と思い込んだ。

「ひどい事をする奴がいたもんだッ」と、私は憤慨し、しばらくの間、近所を歩くたび、その辺に放置されている自転車をチェックして回った。

よく似た自転車が、時々落っこちていた。が、どれも自分のではなく、さらに目を皿のようにして歩く日々が続く。

さて、そんなある日だ。

友人に連れて行ってもらった高田馬場の飲み屋で、カッコイイ自転車を見かけた。

そいつは、私のとは全く違う色と形のものだったが、この頃になると、どこに行っても反射的に自転車を見るのが癖になっており、何だか目も肥《こ》えてきていた。

「これ、ひょっとして、アレじゃあない？」

私は、見るなり少し声を上擦《うわず》らせて叫んだ。

だって、それは夢の……そう、自転車の中のエリート……電動自転車だったのだから。

電動自転車は、マスターの持ちものだった。

高円寺の自宅から、馬場のこの店まで、毎日、これに乗って出勤しているのだという。

「うわぁ〜、凄いなぁ。私、いっぺん乗ってみたかったんだよねぇ……お願い、ちょっといいかな？」

私は初対面のマスターに、いきなりおねだりして、自転車を借り、その辺を走らせてもらった。

さすがは電動自転車……『PAS《パス》』。

ひと蹴りのパワーが全く違うし、坂道も楽々スイスイ登って行く。

風を切って、とてもいい気持ちだ。

「あんなに探したのに、私のアイツは出てこないし……フム、そろそろ諦《あきら》め時かな」

私はすっかり『パス』に魅せられて、勝手に消えてしまった自分の自転車に、見切りをつけてもいい気分になった。

そして、店に戻った私は、その夜マスターに、「いいな、いいなぁ〜」を連発して、『パス』の値段やら、具体的な使用法などを聞いたりして、いよいよ本気になって行ったのである。

ところが、ところが——。

これが縁でこの店に再び遊びに行った時だ。

何と、マスターの口から、とてもラッキーな話が飛び出した。

半年前に盗難にあった古い型の『パス』が今になって、発見された……というのだ。

「バッテリーの残《ざん》がなくなったんで、どうやら犯人、乗り捨ててったらしいんだなぁ。

戻ってくんのは嬉しいけど……でも、もう新しい型のを買っちゃってるわけだし……」

台はいらないから、もし良かったら乗る？」

マスターはニコニコ顔で言ってくれ、私も勿論即答で、是非にとお願いした。

そして、お礼としてその場で、マスターに三万円をお支払いし、後日高円寺に頂きにあがると約束した。

憧れの電動自転車『パス』を定価の三〇パーセント以下で譲ってもらうことになり、私は何だかメチャクチャ得した気分で、その帰り道はひとり大はしゃぎであった。

ところがだ。皮肉なことに、その翌朝、よりによって、私の例の赤い自転車の消息が分かったのだ。

放置自転車として撤去され、持ち運ばれたとの通知のハガキが届いた。

四つ駅向うの町に、保管してあり、これを二千五百円で引き取りに来るようにと、そこには書かれてあった。

「ええ！　勝手に持って行ったくせに、二千五百円払うの〜〜〜!?」

雨で仕方なく一時置いた事を思い出し、まるでボッタクリにあったみたいな気持ちになった。

引き取りに行くのは、ちょっぴりシャクだなぁと思った。かと言って、アイツを引き取りに行かぬわけにもゆかないし……。

私は数日後、面倒臭いのを振り切って、仕方なくハガキにある地図の場所を訪ねた。

住宅や、畑がある、とても静かな地区を歩いていると、突然何やら銀色に光る物が山となっているのが見えてくる。

そこが自転車保管場だった。

放置自転車は、採取された駅別にきちんと並べられてあり、各自持ち主は、受付でハガキを見せると、自分の心あたりの駅の所に行って、自転車を探すのだった。

我が町の駅のプラカードの下《もと》、約五十〜六十台程の自転車にまじって、私の赤い自転車も、そこにポツンとあった。

それは、まるでアイツが置いてきぼりをくわされて……いや、捨てられてキュウキュウべそをかいているみたいに見えた。

そのショボクレた姿には、さすがに胸がキリリと痛んだ。

つい、今の今まで、電動自転車のことで頭がいっぱいだったので、こいつを引き取りに行くことすら疎《うと》ましく思っていたのだ。

私は傍に駆け寄り、小声で「ゴメン、ゴメン」と言いながら、サドルの上を何度も撫《な》でてやった。

そして、「じゃあ、帰ろう」と、抱きおこし、携帯の空気入れで空気を入れて元気づけ、奴を連れて自転車保管場を後にした。

さて、そんな理由《わけ》で、今、私の家の軒《のき》先には、久し振りに帰ってきたアイツと、新入りの『パス』が肩を並べている。

さすがに、「やっぱりいらない」……とは言えず、『パス』の方も高円寺まで、真夜中にもらいに行ったのだ。

玄関の扉を開けると、毎朝、「お待ちしてました」と、言わんばかりの顔で、二頭の馬が競い合って待っているカンジがする。

さぁ、どんな風にこの二頭を乗りこなそうか？

それは、目下の所、思案中なのである。

片づけ下手が、見たものは!?

本、新聞に雑誌、衣裳や帽子、様々な雑用品がどんどん溜まって、何日か整理を怠ると、足の踏み場もなくなってしまう。

必要なものを残し、必要でないものを捨てようとするのだが、これがなかなか捨てられない。

長く使ってボロボロになったものには愛着がわいてしまっているし、今現在、全く使うことのないものも、「将来使うかも!?」なんて思ってしまうのだ。

とりあえず、当分いらなさそうなものを、押し入れの奥の方にと考えるわけだが、あまり仕舞い込み過ぎても困ることが、私達、女優の仕事にはある。

たとえば――。

夏でも、冬の設定で撮影する時に、『自前のコートでお願いします』……なんて言われる場合。寒い時期に突然『ロケーションで南の島に行ってくれ』なんてぇことになる

場合。ドラマの参考資料になりそうな本や雑誌を、急に見たくなった場合。等々。

つまり、どんなものでも、オールシーズン、「いざッ」って時に、すぐに手が届くところにないと、とても不便なのである。

家が狭いのと、自分の整理整頓能力のなさには、ほとほと参ってしまい、ある日ついに私は、自宅すぐ目の前のマンションに、荷物置場なるものをひと部屋借りた。

『入れ物』を大きくすれば、少しはマシ!?という発想だったが……。

新しく、何もない部屋は、とても快適だった。

家では置けなかった桐のタンスや、大きな本棚を入れた。

「良かったぁ、あれじゃあ、せっかくの辻が花や絞りの着物が、台なしだったもんね。こうして、ちゃんと仕舞い込めば、虫がつく心配もないし……」

私は自宅からはみ出す荷物を、自転車いっぱいに積んで行っては、御機嫌で畳んだり、順序良く並べたりした。

「そうだ、今週の『すっぴん魂《コン》』、ここで書いちゃおっと〜」

広々とした空間での書き物や台本読みは、いつもより能率アップで仕事がはかどる気がした。そしてそのうち、ただの収納部屋のつもりが、しっかり仕事部屋にと変わっていった。

さて、少しずつ新しい部屋にいる時間が長くなると、今度はそこで、自然と何か飲んだり、食べたりしたくなる。つまり、お茶セットや、ラーメンぐらいを食べられる鍋や丼も持って来るようになり、さらに冷蔵庫なんかも欲しくなってきてしまった。

「いけない！　これじゃあ、また余計な荷物が増えていくじゃあないか。家と同じになってどうする。目的は、あくまでも自宅の荷物を減らして向うを住み良くするためなんだから……」

私は反省した。と、同時にいつか何かの雑誌の記事で読んだ、有名な男性漫画家の話をフッと思い出した。

とても忙しいその先生の部屋の中は、資料やら本やら、物であふれかえっているというのだった。

　ある日、先生は、『どんどん増えるなら、増えてみろ。こっちだって、いらなくなったら即、ポイだ。ポイポイ捨てちまうから』みたいな気持ちになったという。そして、読んだ先から捨てる。もらった途端に即、人にあげる。食事は全て外食。Tシャツ、くつ下、パンツはなるべく安いものを我慢の限界まで穿《は》き、後は洗うこともなく捨ててしまう。……それでダメなら、必要最小限のものだけ持って、新しい住いに移るという具合に徹底させていったというのだ。

　先生の記事を読んだあの時、確か、『物から逃げつつ、物を増やしてゆくタイプの人』という印象を持ったと思う。

　それだというのに、どうだ。

　これじゃあ自分も、まるで同じことになりかけているんじゃあないか。

　さすがに私も、冷蔵庫はやめるべきだ……と思った。そして、新しく物を買うのだけはやめねばと、キッチリ心に誓うことにしたのだった。

　よって、以来私は、お茶する以外、台所を使うことはほとんどなくなり、マンションに行っても、台所に足を踏み入れることすら次第にしなくなった。

　ところが、ところが、そんなある日だ。たまにはクリーナーでもかけようと、暗い台所にパチンと電気を点《つ》けた途端、おやっ!?　となった。

ステンレスの流しの、水道の蛇口の真下……排水口から、何か、つき出しているのだ。ニョッキリ白っぽい……何かが数本。

「何だ……これ!?」

私は不審に思って、クリーナーを置き、ソロリソロリと、白いニョッキリのものに向かって前進した。

ついに流しの前に立って、腰をかがめて物《ブツ》に迫ったが……五〜六秒、私は息を止めて、そいつを見つめ、次の瞬間に「イヤ〜ン」という黄色い声を立てて、飛び上がってしまった。

白いニョッキリは、豆もやし約十本であった。排水口の中からはえ、ゴムのベラベラを突破して、十〜十五センチ程、上へ上へと伸びていた。

茎はしっかり、頭には大きなマメがちゃんとはえていた。

その奇妙な光景に、胸はドキドキ動悸を打ち、私は少し離れた所で、しばしオロオロしていた。

「最近ここには入ってなかったのに、何でもやしが……?」

心当りがなく、不気味だったが、それでも仕方なく傍に寄って、恐る恐る排水口のゴムを開けて中を覗いてみた。

金具の入れ物の上に、ネットのゴミ取り袋をとりつけていたが、もやしは、そのネットの部分から、何本も伸びていた。

ネットの部分に、種のような根っこのようなものが、くっついていたのだ。

そう言えば、前にこの部屋でラーメンを食べた時、もやしやら、カイワレやら、たくさん具を入れたっけ。さてはあれを洗った時に、種が流れてネットの部分に付着し、それが何故かしら育ってしまったという事なのかも……。

そうだ。この窓もない暗室状態。もやしの類を育てるにはもってこいの場所じゃあないか。水道の蛇口のポタッポタッというシマリのなさも、ひと役買っていたのかもしれないし……。

事情をすっかり呑み込むと、さっきの気持ち悪さは消えて、新たに「よくぞ大きくなられて!」ってな、生命力の強さを讃《たた》えたい気分になった。

「せっかくだから、このまま捨てるのもったいないし、食べてみっか」

一瞬そんな思いまでよぎった。

しかし、すぐに……「こんなもやしまで捨てられなくてどうする」……という別の声を聞いたような気がして、私は何故かゴメンネと口走りながら、もやし達一本一本をゴミ袋に収めたのでありました。

一足のワラジ

私の事務所のアルバイトの男の子、まっちゃんが、目をまん丸にして、「自分、昨日、すっごい所に行ったんす」と言うのである。

フムフムとこちらが興味を示すと、彼は続けた。

「それが、ラーメン屋なんすけど、ただのラーメン屋じゃあないんす。黒壁に黒扉の怪しげな店の前に、デッカイ骨……ほら、漫画で犬がくわえてるみたいな、ああいう形のヤツなんすけど。それが鎖をグルグルに巻かれて、扉の前に吊されてて……どうもその店の看板のようなものらしくて、他に、『来々軒』とか『朝日亭』なんてぇ名前はいっさいないんっすよ。しかも、中には暗証番号を押さないと入れないしくみになっていて……」

私もさすがにそこまで聞いて、「暗証番号!?」と、デッカイ声で叫んだ。

鍵を一人ずつ客が持っていて、開けて中に入るという会員制の喫茶店が新宿にあるという話は聞いたことがあったが、ラーメン屋と暗証番号の組み合わせは、ハッキリ言って〝変〟だ。

デートクラブとか高級雀荘などというなら、まだ分かる気もするが、何でラーメン屋が、そんな閉塞状態でいなくてはならないのだろうか？

「不気味〜、それって。で、初めての人で暗証番号分かんない時はどうすんの？」

私は感じたまま、少し眉をひそめて尋ねた。すると——。

「それがぁ、『初めての方は横の小窓から声をかけて下さい』っつう貼紙があるんすよ。……で、自分、行って声かけたら、『どうぞ』ってボソッと言われて……。カウンターだけの十席ぐらいしかない小っちゃな店でした。店内には他にお客誰もいなくって、入るなり、ちょっとシマッタ〜って思ったんす。とにかく、いろんな物が、所狭しってカンジで貼られたり飾られたりしてて……」

まっちゃんは思い出しながら、中の様子をこと細かに説明してくれた。

一体どんなものが貼られているのかと聞くと、ドラマの台本や、打ち上げで撮ったらしい女優さんや男優さん、スタッフが並ぶ集合写真、撮影の番手表、そして白紙《しろがみ》に大きく書かれた様々な標語のようなもの、だという。

自分達の仕事に関係する品々があったと知って、私は益々『？』となった。

「変なのぉ、そんなの貼って。で、店の中何人でやってるわけ？」

㋮「男の人、一人っす」

㋛「あっ、そう、店主だけかぁ。何者なの、その人？」

㋮「どうも役者さんらしくって……三十前後のヒゲはやした、カッコイイ系の人でした」

㋛「へぇ、役者さんなの」

㋮「定休日のお知らせんとこに、①定休日毎週△曜日、②スープの出来の悪い日、③店主役者のため、撮影が入ったら休みます。ってあったし、標語の内容っすけど、これがちょっと変わってて、『人より麺優先』とか、『無用の褒め言葉はいらない』とか、『履《は》けぬなら、履かせてみよう二足のワラジ』なんつうのもあったなぁ」

この話を聞いて、成程、そうかぁ〜と、私はわずかながらに納得できる気がした。

入り口を大きく開けて、『千客万来』のような雰囲気にしているラーメン屋が、そんなにしょっちゅうお店を閉めていたのでは、お客は絶対につかないだろうし、どうしてもさびれたカンジになってしまうのであろう。

それでは、役者と二足のワラジを履いて、ラーメン屋をやってゆくには!?……と、店主が考え、あみ出したのが、この超個性派ラーメン屋だったに違いあるまい。

狭い敷地でやるのに、喫茶店や飲み屋では、かえって秘密めいたものになり過ぎ、やがて飽きもくるというもの。ラーメン屋で、しかも『こだわり』を出してゆけば、むしろそっちの方が面白がるファンがつくのだろうと、私は思った。

「ねぇ、ねぇ、それで肝心のお味の方はどうなの？」

私は顔をニューッとまっちゃんに近づけて言った。

「それが、なかなかいけるんっすよ、トンコツ味で、薄味、中、コッテリの三つだけのメニューなんすけど、自分は中を注文して、普通の太さのちぢれ麺にやわらかいチャーシューとのりとねぎ、メンマのシンプルなものなんすけどね、こまかいラードがうっすら浮いてて、麺もかためで……自分、正直言って、へぇ〜、やるじゃんって思いました」

かく言うまっちゃんも役者志望である。今はうちでアルバイトをやりながら、仲間と舞台をやったり、オーディションを受けたりしている。

だから、彼の「旨いっす！」という顔には何かシミジミとした感慨深げなものが感じられたのであった。


役者のアルバイト、二足のワラジは決して珍しくはない。

私も仕事が軌道に乗るまでは、百種類以上のアルバイトをやった。

デパートのアイスクリームの売り子や、事務所の電話番、パチンコ屋のサクラに窓拭き、縁日の露天商にバッタ屋、交通量調査に選挙のうぐいす嬢、家庭教師にＴＶの笑い屋と、いろいろ、あちこち、手あたり次第である。

しかし、だんだんいい歳になってきて、しかも時々はTVの仕事も入るようになると、ウエイトレスをやりながら、とか、表札売りをやりながら、というのが辛くなってきた。

できれば、あまり面《めん》のわれない、時間が自由になるバイトがいいと考え、そして思いついたのが家で余暇を利用してやれる内職めいたものであった。

ハガキの宛名書きや宛名貼り、スタンプ押しやテープおこし等である。

実は、何か短いコラムやエッセイのようなものを書きたいと思いはじめたのも、こんな事が原因だった。

書く内職を続けてやれるようになれれば、食べてゆくタシになるし、女優の仕事がちっとも無い時でも、変にあせらず気長に待っていられると思ったのである。

不安定な役者という仕事をやりつつも、自分個人の生活の中には何かしらの安定感が欲しいと思うのは皆同じだ。

役者業が以前に比べてずっと安定したかのように見えている今ですら、心境はそんなに変わらない。

だから、やっぱり私も、依然として二足のワラジを履いているのである。

「まっちゃん、今度私も、そのラーメン屋さんに連れてってね」

こだわりの二足のワラジラーメン、是非私も食べてみたいと思った。

ああ、リザーブしておけるなら

馴染みのフランス料理屋でゆったり食事をしていたら、そこの主人が渋い顔で話しかけてきた。

「ゴメンネ、シゲルちゃん。食事まだ終わってないよね。いや、いいんだ。ゆっくり食べてもらいたいんだけど、あと少し……いや、十分位したら、もしかして嫌な思いさせちまうかも……」

急に何を言い出すのか、さっぱり……チンプンカンプンであった。

怪訝《けげん》に思って食べるのをやめて見返すと、彼はさらにあせり出す。

「いや、止めないで、そのナイフとフォーク！　ゴメン、そうじゃなくって、実は……」

彼が困っている理由とは、こうだ。

もうすぐ、ある女性がここにやって来る。彼女も、もう随分前からちょくちょく来て

くれる大切なお客さんの一人だ。

いつも旦那さんと一緒に、この窓際のテーブルで食事を楽しんでいた。

ところが、この一年程前に、その旦那さんが亡くなってしまった。

パタリと奥さんはお店に来なくなり、店の主人も大丈夫かと心配していたが……、半年程たったある日、突然彼女が顔を見せた。

痩せ細って、白髪も増え、見るからにポッリ淋しそうだった。

久し振りの彼女は店内を懐かしそうに見渡すと、窓際のテーブルにつき、しみじみ語り始める。

「ああ、ここ。最後に主人と一緒に食事したの、ここよねぇ。ちょっぴりワイン飲み過ぎちゃって、私、あの人に『おいおい』って呆《あき》れられたんだわ。そう。たった半年前の今日、この時間、私達あんなに楽しかったのに……」

丁度、その日が御主人の命日だったらしく、彼女は、バッグから写真を取り出すと、テーブルの上に載せて、食事もあの日と同じメニューで、二人前注文するのであった。

主人もこの様子にはひどく心打たれて、遠巻きにして彼女を見つめ、あまり触らぬように、そっとしておいた。

ところが、この日をきっかけにして、彼女は毎月の命日、この席をリザーブするようになる。

店の開店と同時に入って、窓辺の同じ席に座る。やはり写真たてを置き、同じ料理をたのむ。そして閉店まで、一人でずっと写真の夫に向かって何やら語りかけるのだ。

次第に写真のサイズが大きくなり、テーブルの上に持参の花を飾り、日本酒をそなえたり、さらにエスカレートしてお線香までたいたりもするようになってしまった。少し様子がおかしいように見うけられた。

店の主人は、さすがに線香は困るので、やめて欲しいと申し出ると、彼女はさめざめ泣き出してしまうのだった。

月に一度とはいえ、何も知らぬ他のお客からすれば、彼女の行動は、とても奇妙なものにうつるので、主人も四〜五回目からは、うんざり顔になってきたらしい。

「実は今日がその命日で、やっぱりリザーブの電話もらったんだけど、思いきって初めて断ってみたんだよね。……そしたら、『あら、だって九時には主人とそこで待ち合わせてますから』って言われちゃって。だからきっと、あの奥さんやって来て、ここに座ろうとすると思うんだよなぁ……」

主人はほとほと困り果てた顔で、私にそう打ちあけたのだった。

偶然なのだが、今週大阪に行った折に、これとそっくりな話を聞いた。

知り合いのお風呂屋さんである。

銭湯の事を取材させてもらっていたら、いろんなユニークなお客さんの話になった。その中に、名付けて『四十五番オババ』という人の話があり、それが似ているのだ。

八十歳近いそのオババは、毎日何故か決まって四十五番の脱衣箱を使う。一度たりとも他の箱に入れたことはなく、番台を通過すると、真っ直ぐに四十五番に向かうのだ。

そしてその後、浴室の中でも、向かって左側の奥から三番目と、自分の洗い場は決めているらしく、絶対にそこに座るのだった。

空いている場合は特に何も問題はなかったが、四十五番が塞《ふさ》がっていたり、三番目で誰かが洗っていたりすると、大変なことになる。

まるで自宅にドロボーが入ったような騒ぎ方をし、誰かれかまわず怒鳴り散らすのだ。

「四十五番勝手に使うてんの誰や〜」と叫んだり、「ここはウチの所やで、座ったらアカンやろ」と言いながら先の人にお湯や水をひっかけたりするらしい。

さすがに見かねたお風呂屋の奥さんが、オババと話し合ってみようと思った。とてもやさしい奥さんなので、きっと静かに彼女に言いきかせたであろう。

「おばちゃんなぁ、何でいつも四十五番やの？　他にいっぱい空いてんのやから、毎日いろんな所で着替えたらいいやん。洗い場かて、なるべくすいてる所使った方が楽やし。人に水なんてかけたら、皆びっくりするさかい。なぁ、頼むわ」

ところが、全くダメなのだそうだ。

「ウチ、ここが一番落ち着くねん。ここがええんやから……」の一点張りだというのだ。

ゲッソリ顔で「ムロイさん、こういうのどうしたらいいと思う？」と尋ねられたが、説得してもダメなものを、他に策なぞ無いように思えた。

「四十五番をもうなくしちゃうって方法もあるけど、四十五番が消えてる脱衣場も変なカンジだよね。フム……じゃあ、いっそのこと、『本日の占い』みたいなおみくじを全部の扉の裏にくっつけといて、四十五番をいつも凶にしちゃうとか……」

少し飛んだ発想を披露してみたが、ただの冗談にしかならなかった。

電車や劇場の座席等で、ついつい座ってしまう所、落ち着く所というのは、確かにあるものだ。

私にも行きつけのジャズ喫茶の店内にかならず座る席がある。気のせいだと思うが、そこに座ると原稿がよく書ける気がするのだ。だから扉を開けて入って行った瞬間、その席が塞がっていたりすると、ロコツに嫌そうな顔になってしまうのが自分でもはっきり分かる。

私もやっぱりそんな時、とことん粘ってそこが空くまで、ジッと待ってしまう質《たち》なのだ。

〝リザーブ〟しておけるなら、〝生涯リザーブ〟と言ってしまいたい場所があちこちにあるが、ほどほどにしないと、どうやら問題になるようだ。

人のふり見て我がふり直せ——だと、つくづく思った。

叫ぶ、イビキ!

「ねぇねぇ、隣りの部屋で昨夜《ゆうべ》怪獣の叫び声がしたよ!」

撮影ロケ先のホテルで、持ち道具係の女の子が真顔で言った。

「いや、昨夜あったのは、地震だろ。クーラーはガタガタ揺れるし、ひと晩中地響きがして、俺、いよいよかって思ったぜ」

答えるように、照明マンのおっちゃんも言った。

515号室と517号室……二人の部屋は一個置きの並びだ。

それでは、と思って516号室の主《ぬし》を探すと、その彼は、ポカンとした調子でつぶやいた。

「へえ!? 僕は、何も聞いてないけど……熟睡してたからなぁ」

と助監督のA君が名乗りをあげた途端だ。

「なあんだ、お前が隣りか〰〰、お前なら、ありゃあイビキだな」

照明のおっちゃんがウンザリ顔で吐き捨てるように言った。

これに対してA君は眉間《みけん》にシワを寄せて、いかにも心外そうに返した。

「またそんな事言ってぇ……違いますよ、僕はイビキなんてかかないっす」と。

聞くところによると、A君のイビキは、撮影隊の間では、かなり有名なものだった。

ライオン往復型のかなり激しいヤツなのだそうだ。

イビキを発するタイプには、①大男②肥満体③大酒飲み④猪首《いくび》などの条件が一般にあげられたりするが、A君は、それら、いずれにも属さなかった。

若くて、痩せていて、酒もタバコもやらず首もほっそり、まるでバンビ君のような青年なのに。

「昼間は体のよく動く、とってもいい奴なんだけど、寝ちまうと、あのイビキがどうも……」と、いうのが、平均的な彼の評判で、二人部屋での宿泊の時などは、誰もが彼と同室になる事を嫌うらしかった。

「ねえ、A君、獣みたいなイビキって、評判だよ。いっぺん、お医者か、カイロプラクティックにでも行って、相談してみたら？」

私は、おせっかいとは思ったが、彼に忠告してみた。

地方にロケーションの多い、私達の仕事では、この先つらかろうと思って言ってみたのだが……。

しかし、残念ながら、A君は、ニヤニヤ笑って、やっぱり本気にしようともしないのだった。

どうやら、皆が自分をからかって、オーバーに面白く言ってると、思い込んでいるようだ。

「あいうのはさぁ、寝てる間《ま》にこっそりテープにでも録《と》って、ちゃんと聞かせてあげなきゃダメよねぇ〜〜〜」

説得のトライをしたが、結局、聞き入れてもらえなかった私は、ことの次第をヘアーメイクさんに、ロケバスの中でペラペラ喋った。

お化粧をしてもらいながらする、ロケ中のありふれたスタッフの噂話のつもりだった。

ところが、私が軽口を叩いているうちに、この、メイクのBさんの様子が変わり始めた。

朗らかに、私の眉毛を整えてくれていた、彼女の手の動きが、次第に鈍くなりはじめたのだ。

「ああ、激しいイビキだけなら、まだましなんだけど……」

そして、溜息まじりに、話し出した。

「うちの旦那もね、イビキに歯ぎしり、強烈なの。仕事が大変な時や、お酒飲み過ぎた時なんか、そりゃぁ凄くて、窓ガラスが割れるんじゃあないかって思うくらい。それでもね、大っきいだけなら、まだ耳栓でもすりゃあいいかって思うんだけど……うちのはね、寝てる時に、息がピタリ止まっちゃうのよ」

私は聞き馴れぬ話に、ピクリ反応した。

「息……止まっちゃうって……何、それ？」

「つまり……眠ってる間にね、呼吸が一時的に停止してしまう病気なのよ」

Bさんは、苦しげに、自分までもが息がつまってそうな感じで続けた。

「睡眠時無呼吸症っていう名前がついてるんだけど、どうも体が、しばらく呼吸するのを忘れちゃうらしいんだなぁ。一時間に十八回以上呼吸の止まる睡眠時無呼吸症の人はね、睡眠中に突然死したりするっていうから恐いのよ。うちのは、もの凄〜〜く疲れてる時になるから、そんなにしょっちゅうでもないんだけど……ただね、最近、うちの子供……四つになるんだけど……この子も、どうやら、父親の体質を譲り受けたらしくって……やっぱり時々、息すんの、忘れちゃうみたいなのよね……」

イビキがひどくて嫁に行けぬのでは!?　とか、イビキで人に迷惑をかけるのが心配で、毎年、会社の慰安旅行に行けない……なんてぇ類《たぐい》の悩みは、人から聞いたり、どこかで読んだりした事があったが、こんな話は初めてだった。

しかも親子で！　それも、とても深刻だ。

私は、先のA君に言ったよりも、もっと強い調子で「早くお医者に行かなきゃ」と、当然訴えた。

勿論、Bさんの方は、医者にも相談済みだった。

——あんまり頻繁なら、一度、検査しますが、軽症ならそう心配しなくても大丈夫。気づいたら、お母さん、背中をトントン軽く叩いて刺激を与えて、息するのを思い出させてあげて下さい——と言われた、との事なのであった。

「でもね、大丈夫ってったって心配じゃないの。だから、私、毎晩大忙しなのよ。旦那と子供の間に寝て、時々起きて、二人が息してるかどうか、ティッシュをタンザク型に切って鼻の下にあててチェックするのよ。そんでもって……止まってるなって思うと……トントン……トントンって……代り番こに二人の背中を叩いて……トントン……トントンって……」

頬紅のハケを持ちつつ、いつの間にか座り込んで話していたBさんは、トントン、トントンと、バスの座席の椅子の背中を抱きかかえるように叩きながら、スーッと吸い込まれるように眠ってしまった。

毎晩の事ならば、さすがに睡魔だっておそってくるだろう。

私は、彼女のたてる小さなイビキを聞きながら、つくづく「ああ、大変だなぁ」と思った。

釜山映画祭で歌った

東宝の正月映画『のど自慢』が、その公開に先がけて、釜山《プサン》国際映画祭に招待された。

成田から約二時間、福岡からは船でも三時間弱という、すぐお隣りの町だが、私は今回初めて訪れる。

釜山と言えば、ポンと押してピーンと出てくるのは、やっぱりチョー・ヨンピルさんだ。

つばき咲く～、春なのに～♬

あなたは、帰らない～～～♪

「クウ、演歌ファンのアタシにゃあ、たまらんぜ」

到着するや否や、車に飛び乗って釜山港へと向かった。

「うわぁ、でっかい、ダイナミック」

釜山港はとても大きく、力強く、そして何ともしみじみ、どこか懐かしい風情の港だった。

「渋い！　グッとくるわ〜。トーラワヨー、プーサンハンへ〜、逢いたい〜、あなた♬」

私は久し振りに仕事から離れた解放感と、上映会にあたっての緊張感とで、港を前にしてにわかにテンションが上がっていくのが分かった。

『のど自慢』の上映は水営湾《スヨン》の野外劇場で行われる。そのキャパは何と五千人。私達『のど自慢』チームのメンバー、プロデューサーの李《リ》さんと、キャストの大友康平さんと私が、そこで舞台挨拶することになっているのだ。

「そうだ。歌ってる場合じゃあない。えっとー、プ……プサン、シミン、ヨロブン……アンニョン　ハセヨー」

私はあらかじめ用意してきた挨拶のセリフを練習せねばと、海に向かって力を入れたのである。


そして、いよいよ本番の夜だが——。

私は七時半の開始の三時間前から、準備におおわらわであった。

赤い縮緬《ちりめん》の中振《ちゅうふり》に、サガニシキと花びらの刺繍《ししゅう》をあしらった黒地のリバーシブルの帯、乙姫様ばりのヘアーと、いつになくめかし込んでいた。着付けてくれる、メイクの小春

ちゃんも、モーレツに気合いが入っている。

「イテテテ……うう、シマルシマル……シマッテイクゾー」

いつもなら途端に痛いと悲鳴をあげるところだが、今日に限っては断じて頑張る意気込みの私。何せ、五千人の前だ。万にひとつでも着くずれてしまうようなことがあってはならぬ。

私は手に汗し、額に青筋をたてつつも、顔にはここぞと笑みを浮かべ、会場に向かったものだ。

ところが、ところが。こんな私の気合いを余所《よそ》に、不運なことが起こった。

野外劇場には命取りの雨が降り出したのだ。

釜山にはめったに雨が降らぬと言った実行委員の予測を見事裏切って、夕方よりパラパラ降りはじめてしまった。

「ねぇ、この雨じゃあ誰も来てくんないよねぇ？」

半ベソをかいて大友さんに訴えると、彼が控え室の窓から外を指差した。

「ムロイちゃん見ろよ。あんなにお客さんが……続々と傘さして……」

ヨットハーバーのすぐ前に立てられた巨大スクリーンの前、傘から雨ガッパに替える人々の姿が見え始めた。

客席が八割方うまりつつあった。

「凄いねぇ、この雨の中。ヤッタ〜〜〜」

やがて熱い思い一杯で、私達はステージに上がり、練習してきた韓国語の挨拶を、ひと言、ひと言、かみしめて言った。

お客さんは、拍手と歓声で迎えてくれた。

もう感激で涙もチョチョ切れん状態で、私達もお客さんに混じって映画を見た。かつて見たことのないくらいの大きな自分の顔。風とたわむれながら響く、迫力のある音。ドキドキときめいて見つめた。

が……。次第に雨のことも忘れて、すっかり夢中になりはじめたその時だ。

タテ十八メートル、横三十三・五メートルの巨大スクリーンいっぱいの、劇中の竹中直人氏の顔が、突然グンニャ〜と歪《ゆが》んだかと思うと、ドロロロロというカンジで溶けてしまった。

「ゲッ、お屋形《やかた》様の顔がッ、恐い！」というよりも、一体何が起こったか分からず、ポカーンとなった。スクリーン上、右端にハングル文字が映っているのみで、肝心の映像は何も無い。真っ黒だ。

係の人が関係者席に素っ飛んで来て、映写機内部のランプが切れてしまったと青ざめて告げ、その言葉で初めて私達はトラブル発生にハッとなった。竹中氏のドロドロ顔はフィルムが焼けたためだったのだ。

直すのに、最低二十分はかかると言われた。

「……ど……どうしよう。雨降ってんのに、このままじゃ皆帰っちゃうよ」

私達はうわ言のようにそう言い、オロオロして互いの顔を見合った。

「何とかしなきゃ」「どうする？」「どうしよう」

次第に大きく、さらにハッキリと意志を持って、その声がやがてひとつになった。

「やっぱり歌よね。こういう時。大友さん、歌ってよ、もう、それっきゃないから」

全員が祈るような顔で大友さんを見つめると、彼は意を決したように拳《こぶし》でトンと自分の膝《ひざ》を打ち、すっくと立ち上がった。

プロデューサーの李さんと私も、大友さんの後に続き、再びステージの上にあがった。

「映写機のトラブルで大変御迷惑をおかけしております。修復までにはもう少々時間がかかる模様です。雨の中せっかく来て下さった皆さんに、このままお待ちいただくのは心苦しいので、ここで歌いたいと思うのですが……。ただひとつ、問題があります。私達が日本語の歌をここで歌うことは禁じられているということです……それでも……歌ってもいいでしょうか」

李さんが静かにそう語りかけた時、目の前の五千人のお客さん達からウォ〜〜〜という歓声と共に、大きな拍手が起こった。感動で体が震え、キーンと耳が鳴り、鳥肌が立った。

大友さんがハウンドドッグのヒット曲『ff（フォルティシモ）』をアカペラで力強く歌う。その歌声に勇気づけられ、私もヘタクソながら劇中の挿入歌『おしどり涙』を歌い踊る。

するとさらに、これを機に場内のお客さんも立ち上がり、約一時間の間、ステージ上では日韓の本物の『のど自慢』が繰りひろげられたのだ。

公の場では歌ってはいけなかったのかもしれぬが、私達にとって歌うこと以外考えられなかった。

こんなに自然で意味のある『のど自慢』ってないぞ……と心より思ったのであります。

好きに座らせろ！

私はおばさんである。

にもかかわらず、ひどく体力があるので、自分がもうすっかり『おばさん』なんだ、という事をうっかり忘れてしまいがちだ。

それでも、ジャングルに行ってはひとつ、砂漠に行ってもまたひとつ、ハワイに行ってもやっぱりひとつと、できてしまう小さなシミを発見しては、ビンビンの直射日光に耐え切れなくなっている自分の肌の虚弱化を痛感せざるをえなくもなっている。

「あ〜あ、若い子の日焼けはセクシーだけど、おばはんの日焼けは、ただのヤケドかぁ……」

控え室の鏡に向かって、溜息まじりにつぶやいていたら、もっとデッカイ溜息をつきながら、事務所のふぐママ社長がやって来た。

「あ〜んもう、悲しいわぁ、おばさんって……」

よりによって、似たような事を口走っているのである。

ふぐママは、確かに、私よりもさらに大先輩の、成人した子供が三人いる堂々のおばさんであるが、一体、何をそんなに嘆いているのであろう。

一瞬、自分のシミの事を忘れて、そちらを注目した。

(ふぐ)「新しくできたカフェテラスのあるお店……オープンカフェって言うの？……ほら、道路っペタに向かって椅子が並んでる、あれに入ってみたの、友達と二人で。今日はポカポカ暖かいから、外が気持ちいいと思って、眺めのいい席に座ったのよ。そしたら、ウエイターがバタバタッと走り寄って来て、『あの〜、こちらのお席はちょっと……』って言うじゃない」

(私)「何、何!? 予約席かなにか？」

(ふぐ)「私も、そうかなと思って、その隣りに座ろうとしたら、それでもまた、『いえ、こちらもちょっと〜、ダメです』って言うのよ。そんなにお客さん入ってないし、変だなぁと思ったんだけど、それでも仕方なく、そのウエイターの後についてったら……」

ふぐママはここまで一気にまくしたてるように喋ったかと思うと、突如、まるでモチでもひっかけたみたいに「クゥ〜」とのどをつまらせ、沈黙してうっすら涙ぐんだ。

ふぐママはとても涙もろい人なので、涙ぐむのは日常茶飯事だが、こう途中で話を切られると、ちょっと心配になる。

「ど……ど……どうしたの、それで？」

私はそっと近づいてしゃがみ、彼女の顔を下から仰ぎ見て声を掛けた。

すると、ふぐママは目から大粒の涙を二滴ばかり落として、「もう、いやんなるぅ、キティちゃんの万歩計、買ったばかりのをトイレに落とすし……ううう……悲しい、私ってどうして……」と、ちょっと辻褄《つじつま》の合わぬ事を口走るのであった。

医者から、健康のため、もっと歩くようにと勧められ、キティちゃんの万歩計を買った話は、一週間前に聞いた。

たまには車をやめて、その万歩計をつけながら電車にも乗ってみようと思い、何年ぶりかでJR山手線に乗ったという話も。そしてその時、途中で降りようとして、精算所で過剰に払っている分の料金の払い戻しを申し出たところ、駅員さんから「乗り越しの不足分の精算はするけど途中下車は返金できないよ」とシレッと言われ、その理不尽なシステムに唖然となった話も、つい三日前に聞いた。

ここ一週間、ふぐママがキティちゃんの万歩計を大切にしてきた事は私も知っているが、それがオープンカフェとどうつながるのか？

私は、「えっ!?」と目を見開いたまま、ふぐママの次の言葉を待った。すると……。

「本当におばさんになると悲しいわね。……キティちゃんの万歩計は新しいの買ったからもういいんだけど……そのウエイターが……」

ふぐママは何かをふっきるようにして、シャキッと顔をあげて、少し自嘲するように笑ってから、さらに続けた。

「ウエイターが私達二人に『こちらへ』って言って、連れてった席ってぇのが、店の中の一番隅っこの、暗くて居心地の悪い場所なのよ。言われるままに座って、カプチーノを注文して、友達と二人っきりりんなってから、私達話し合ったの。何で私達がこんな席に座らせられたのか……について。店の中をグルリ眺めて、答えはすぐに出たわ。それは、私達がおばさんだからよねって。つまり、外から見た時に、この小洒落た店の雰囲気をより若々しく見せたいのよ。だから、きれいな若いお客をなるべく目立つ席に案内するわけよ。おばさん達にド真ン中にこられたんじゃあ、店のイメージダウンになるから、そうやって奥の方に追いやっちゃうのよ。……友達と、つくづく、好きでおばさんになるんじゃあないのに、淋しいもんよねぇ〜って、遠くの明るい席を見つめながらカプチーノすすって、話してきたの」

ふぐママはもうすっかり落ち着いて、大人っぽく静かに話してくれたが、これを聞いた私と、スタイリストのリンちゃんが途端に「ヒド〜イ」の声をあげた。だって、あんまりである。

「それって差別じゃないのッ」と、私が言いかけた時、リンちゃんが、「分かります、私にもあるんです、そういうの」と、もっと大きな声で言った。

はて？　リンちゃんは確かまだ二十六、七歳。嫁入り前の可愛い子なのに、おばさんの気持ちが分かるとでも言うのであろうか。

リンちゃんの方に振り返ると、今度は彼女が語り始めた。

「聞いて下さいよ。この間、友達とネプチューンの公開録画をスタジオに見に行ったんですよ。早くから並んで、当然前の方のいい席に座れるってウキウキしてたら、何か変なんです。ＡＤさんが、お客を座らせてるんですけど、それが何だか順番通りじゃあないみたいで……。ハッキリ言って、顔見てふり分けてるカンジ。十代のキャピキャピの子を前の方に座らせて、年がいってそうだと後ろの方なんですよ。私達ぐらいだと、もうすっかりおばさんらしくくって、すんごく後ろの方に追いやられちゃって……。少し前までは考えもしなかったのに、この頃何かにつけ、思っちゃう。おばさんて、何だか損ッ！　つまんないですよねぇ」

リンちゃんの話には、私もふぐママも一斉に『へぇーあんたでも!?　そんな事あんのかい』という顔になったが、リンちゃんはキッパリ、自分ももうおばさんなんだと言いきるのであった。

世代の違うおばさん三人の井戸端会議はなかなか尽きず、私達はこの後、しばらく怒ったり笑ったり忙しかったものだ。

ドッキリ届け物

「お布団干してる暇なんて無いでしょう!!」

見知らぬ誰かからそんなメッセージ付きで、布団乾燥機が届いた。

高価な物をどうしたものかと思ったが、送り主の名は『快眠花子』とあるだけで、住所も電話番号も書かれていない。

「そうだ、確かに最近ドタバタしてて、布団しっかり干してないや」

御好意に甘えて乾燥機を使わせてもらおうかとも思ったが、そこはやっぱりせっかくのお天気続きなのだから、お日様の下《もと》で……と、私は翌朝早起きしてエッチラ、オッチラ、布団を物干し台に出すことにした。

午前中いっぱい干した。すると布団はみるみる光や風を吸い込んで、元気になってゆく。

「うう〜、気持ちいい〜」

私は布団に顔をうずめて、お日様の匂いをお腹いっぱい嗅《か》いで、どこかの快眠花子さんに感謝したものだ。

ところが、それから四〜五日程して、花子さんから再び手紙が来た。

「枕はいいのですか？　布団を干して、枕を干さない人が多いです。頭も汗をかくのですよ。お布団と一緒に枕も干すか、あるいは先にお届けした乾燥機をお使い下さい」

とても美しい文字でそう書かれてあった。

途端に私はギクリとなった。

「き、き、近所の人だ〜、花子さんは」

プレゼントの品を使わずに布団を干したのを見られていたのではないだろうか!?……と思わずにはいられなかった。

勿論、いたずらではなく好意で言って下さっているのはよく分かっている。……が、ここまでタイミングが合い過ぎてしまうと、どうしても近くで見られている気がして、はっきり言って気味悪くなってしまった。

だから枕は物干し台では干さず、部屋の中に射し込む日だまりの所に置くことにした。

すると、またしばらくして手紙が届いた。

「どうやらやっと私の乾燥機を使ってもらえたみたいですね。嬉しいです。偉大なる睡眠を大切に！」と、あった。

その後私が布団も枕も干さないのをチェックして、乾燥機を使い始めたと花子さんが勝手に納得したように文面からは察せられる。

私は一体どうしたものかと手紙を持ったまま、しばし茫然となってしまった。

何も気にせず、勿論、また干したい時に布団を干せばいいのだが、多分私はその度にしばらくの間、快眠花子さんの事を思うだろう。いっそ住所があれば、「このような物はいただけない」と返事を書いて送り返すこともできるのだが……。

とにかく、見知らぬ誰かから、自分のささやかな生活の一部に影響を受けてしまうことが、何だかとてもうっとうしかった。

俳優の事務所に入りたての頃、ＴＶに出る回数が次第に増えてゆくにつれて、手紙だけでなくプレゼントも頻繁にもらうようになった。

中には『ゴディバ』のチョコのような高級品やら山口県の『豆子郎《とうしろう》』などの名菓が送られてくることもあり、私はすっかり目が眩《くら》んでウハウハになっていたものだ。

手紙を読みながら、すでにバリバリ食べまくっている私をマネージャーがよく困り顔で見つめていた。

「ムロイちゃん、プレゼントって、そりゃあ確かにありがたいんだけど、全ての贈り物が好意でとは限らないからね。特に手造りのむき出しのものは少し疑ってかからないと。普通のタレント事務所なら食べ物は厳禁よ。ちょっとは考えて！」と注意も受けた。

しかし私は、「そんなのアイドルじゃああるまいし」と完全に無視しきって、手造りのおはぎだろうと、手造りのおにぎりだろうと、捨てるなんてバチがあたると、ペロリたいらげてしまっていたものだ。

しかし、そんなある日。ゾクリとなる事が起きた。可愛くラッピングされた手造りプリンが、届いたのだ。

『これは世界にひとつしかない特製まりちゃんプリンで〜す。純せいミルク使用なので甘過ぎず、とってもおいしいと思います。是非御賞味あれ』とのコメントと、まりちゃんらしき人の写真が同封されてあった。

エプロン姿の清楚なカンジの女性だったので、私は露ほどにも疑うことなく、万歳してプリンをペロリ二個たいらげた。

一人で食べきれず、その頃近所に住んでいた友達と、おでん屋のおっちゃんにも二個ずつ分けてあげた。まりちゃんが強く推薦するだけあって、特製プリンはとてもおいしかったし、友達らの評判も良かった。

が……、一週間ほどして届いた手紙と、写真を見て、私は気絶しそうになってしまったのだ。

何故って、そこにはあのプリンの旨味の秘密が綴られてあったからだ。

『いかがでしたか、私の特製プリン。美味しかったでしょ⁉ フフフ、だって、あのプリンにはかくし味が入っているんですから。実は私には現在、生後四カ月になる子供がいて、今、母乳が自分でもびっくりするほど出ちゃうんです。お菓子作りは元々大好きで、いつもは市販の牛乳を使っていますが、ひょんなことから自分のを使ってみようと思って……（中略）どうぞ、気持ち悪がらないで下さい。うちの子も飲んでますし、どこ産のものとも分からぬ牛なんかのお乳より、私の方が安心ですから……』

丸々と太った赤ちゃんを抱いたまりちゃんが、写真の中で、ニッコリとほほえんでいた。

咄嗟に私は彼女の胸のふくらみに目が行ってしまった。

そして、失礼ながら、それを見て吐き気をもよおしたのだ。

いくら喰いしん坊の私とはいえ、見知らぬ女性の、母乳入りプリンはさすがにゴメンだった。

ショックを受けた私は、この話を人にすることができなかった。

ましてや、一緒に食べさせてしまった友人やおでん屋のおっちゃんには、口が裂けても告白することができなかった。

そして、いつの間にか時が経ち、何とか忘れていられるようになっていたのだが……。

この布団乾燥機の一件で、何故かフッとまた思い出してしまった。

両方とも、私に親しみを感じてくれてのことには違いないのだろうが、こちら側とすれば、見知らぬ人の過度の好意には、時として慄然《りつぜん》となり、恐れおののいてしまうのである。

マスク軍団

風邪気味だったのに油断していたら、ちょっとこじらせてしまった。

インフルエンザで倒れた友人のA子より、『今年の風邪をなめたらいかんぜよ！』と忠告されたばかりだった。

夜中に体がポッポして、トイレに十回近く起きたあたりで初めて「こんなに出るばっかりじゃあ、脱水状態になるかも」と、体調の異変に気が付いた。

熱を計ってみると、何と四十度近くもある。本当に我ながら鈍いにも程がある。慌てて、早朝友人にTEL。症状を確かめたところ、彼女にそっくり。さては私もインフルエンザかも!? と思った。

「大変よ〜。今、病院はどこも満杯。私なんて三十九度でフラフラで行ったのに、『二時間待ち』なんて言われて、目の前真っ暗になったわ。見た目元気そうな、ただの風邪の子供達がワイワイ走り回ってるからさぁ、受付行って頼んだのよ。『私、もう倒れそうだから、何とか先に診てもらえないか？』って。……でも『ダメッ』って……、仕方ないから自分の座ってた元の席に戻ったら、その席まで他の人にとられちゃってて……お蔭で、待ってる間に四十度に熱、上がっちゃったわよ」

病院に行く場合は、時間帯を考えて、なるべく混みそうな時を避けた方が良いという助言と、体力がなくなっているのだから、マスクを着けないと、待っている間に別タイプの風邪までもらってしまうぞ——という注意をしてもらい、私も絶対今日中に病院に行く決心をした。そして市販の薬を飲み、保険証と体温計をハンドバッグに忍ばせて仕事に出た。

さてさて、午後の三時まで、何とか必死で頑張って撮影をやりとげ、検温してみたところ、三十八度二分あった。

やっぱり、まだまだハッキリ高熱だ。

私は、ド派手なメイクも落とさぬまま、スタッフに教わった、ロケ現場に一番近くて大きな病院に駆け込んだ。

中に入ると、びっくらしたもんだ。

おびただしい数のマスク軍団がドワ～ァと待ち合い室で犇《ひし》めき合っている。

どうやら新参者が来ると、俯《うつむ》いた頭を、皆一斉にムンズと上げ、充血した目をギョロリ向ける習わしになっているようで、私も即、マスク軍団の注目を浴びた。

その殺気立った雰囲気に、一瞬ドキリとした。が、反射的に、逆に縋《すが》るような目で待ち合い室で座れそうな場所を探した。

すると、マスク軍団は各々、「私だって、具合ものすご〜く悪いんだよ。席なんて譲れるもんかッ」と、言わんばかりにセキを激しく二つ三つし、再び背中を丸めて、下を向くのであった。

受付にて、私もA子のように、待ち時間を確かめると、案の定、「この人数では最低一時間半〜二時間は待ちますね」という返事が返ってきた。

このまま、つっ立った状態で、軍団が済むのを待っていられる自信があるか否か？

……私は自分に問いかけた。

答えは、どう考えても『NO！』だったので、私は踵《きびす》を返して、大病院を後にし、自宅近くまで戻って、前回の風邪の時に行った病院に行った。

ところが、どっこい。

小さな町の病院だというのに、ここも待ち合い室にビッチリ、マスクの人々が……。

それでも、もう夕方だし、贅沢《ぜいたく》は言ってられぬと思って、スリッパを履きかけたら、入り口近くで座り込んでいたおばあさんに、コートの裾《すそ》をムンズと摑まれた。

何事だと思い振り向くと、おばあさんは、もうボロボロになった古い薬袋を懐《ふところ》から出して、ゼイゼイしながら言うのだった。

「ムロイさん〜、ゼイゼイ、あんたＴＶのムロイさんだろ、ゴボゴボ、ここにサインしとくれよ、ゲホゲホ〜」

握らされたペンから、火のようにアツイ熱が伝わってきた。

苦しげな様子に私はドキンとなった。

「こ、こんなに高熱なのに、こんな所に座り込まされて……」

小学生に死亡者まで出ていると、ニュースで聞いてはいたものの、そのひどさは、どうやら自分の予想をはるかに上まわっていると思った。

私はマスク軍団に恐怖のようなものすら感じ、それ以上は中に入れず、第二の病院も逃げるように出てきたのだった。

表に出た私はどうして良いやら分からず、パニックしていた。

もう自分はインフルエンザに違いないんだから……何でもいいから早く……少しでも早く……とりあえずインフルエンザ用の薬出してもらって横にならなきゃ……ううう。

どこをどう歩いたか分からぬが、トップリ暮れた頃、私は町はずれの『内科』と書かれた看板の前に立っていた。

「ああ、ここ確か何年か前に一度来てる。……風邪の時……お医者さん、かなり年寄りだったっけぇ……」

それは、とても小さな医院だったが、私は最後の頼みの綱のような気持ちで中に入った。

待っている患者さんは、中年のおじさん一人と、お母さんに付き添われた中学生の女の子だけだった。

受付で体温計を渡された私は、今度はあまりの空《す》き様《よう》にいささか不安を覚えつつ、着席して検温にかかった。

そのうち、私と入れ違いに立ち上がった中学生の母親が、「すみません、家で計ったら三十七度七分あったのに……困ったわ、今、三十六度五分しかないんですよ」と、看護師さんに訴える声がした。

続いて、「大丈夫ですよ、そのように先生に話して下されば……毎日の調子を……ね」とのやさしい受け答えが聞こえてきて、私は初めて……ああ大丈夫、ここは殺気立ってないや……と、ようやくホッとしたのだった。

果たして、老先生の診察は、それはそれは丁寧で、細かい問診の後、喉《のど》の様子や呼吸のあんばいまでしっかり診て下さった。

おまけに、先生は私の三年前のたった一回の来院もしっかり記憶されていて、「あの時も風邪でしたけど、その後来院されなかったんで、お出しした薬がちゃんと体に効いたか、心配してたんですよ。今回、インフルエンザだと思われますが、薬を飲んだ経過等、今後のあなたの資料になりますから、是非ともお聞かせ下さいね」などと、親身に言って下さるのであった。

薬のみならず、この老先生との温かいコミュニケーションが私の身体に効いたのであろうか、私は一日休養を取った翌朝には、熱も平熱に下がり、すっかりいつもの私に戻った。

設備の整った大病院よりも、こんな時には町の名医にかぎる、とつくづく思った次第だ。

今年も良い年でありますように

隣り町に住むPさんに、喫茶店で会った。

「やぁ、久し振りですねぇ。お元気でした？」なんて挨拶し合ってコーヒーを啜《すす》っていたが、次第にPさんの顔がなんとなく暗くなってきた。

事情を聞いて欲しそうなカンジだったので尋ねると、今年になってパッとしない！……と言うのである。

「新年早々ついてないって思われるんで？　何かそれには事情や、心あたりのようなものが、おありですか？」

私はまるで占い師やカウンセラーみたいな口調で話を進めてしまう。するとPさんは……。

「あのぉ、私、年末年始って、とっても大切にしてる……と言うか、けっこう縁起をかつぐんですよ。年の終わりをキチッと締めくくり、新しい年をすがすがしい気分で迎えると、来たる年がとっても素晴しく思え、無事に暮らせそうな気がして……」と。

彼女の言うことはもっともだ。

私も富山の田舎で、おばあちゃん子で育ったので、年末年始のけじめのような事は、毎年の習慣として、いろいろやらされた。

暮れの大掃除やもちつきに始まって、おせちの準備、おかざりの準備。初詣は晴着で行き、そして親戚への年始回り、書きぞめや買いぞめ等々。

「特に三十一日から元日にかけてはね……、年越しそば食べて、すぐにお風呂に入って一年のアカを流して、紅白歌合戦を見て、……そんでもって除夜の鐘が鳴り始めたら、家族で新年の挨拶、そして仏壇にお詣《まい》り。台所でおばあちゃんが『初火』とか、『初お水くみ』なんてぇのをやったっけ」

思い出して、私が並べたてていくと、突然Pさんが、「それよ、……その、除夜の鐘なの」と声を一段とカン高くして言うのである。

「年越しに、うちの近所のお寺で、除夜の鐘をつかせてくれるっつうんで、それはそれは、前から楽しみにしてたんですよ。いつもの年なら、うちも紅白を私とダンナと息子で見るんですけど、この大晦日の夜は除夜の鐘に全て照準を合わせて、タイムスケジュールを組みました。ああ、それなのに……」

Pさんが言うのは、つまり、十二時ジャストから鐘をつきはじめるわけだから、そのために早くからお寺にスタンバイせねばならぬということである。

除夜の鐘は百八つ。百八つは人間の煩悩の数で、一つつく度に、それが消えてゆくと言われている。

Ｐさんは、近所の人々が、この鐘つきに殺到すると予測して、家族で年越しそばを食べるなり入浴し、体を冷やさぬようホッカホカに着込んで、二時間前の十時にはお寺に到着する段取りにしたというわけなのである。

ところが――。

お寺に着いて、受付という所に誘導され、そこでもらった番号札《ふだ》には、何と２５２番、２５３番、２５４番という番号が書かれてあったというのだ。

「えっ!?」

Ｐさんは札をしばし見つめて首をかしげた。百八つの煩悩のはずなのに２５２番とは、これいかに？……と、当然思ったのだ。

すごく御利益があると信じて、準備万端整えた年越しに、いきなりケチがついたような気がして、やっぱり帰ろうかとＰさん家族は即座に話し合ったという。

しかし、今さらここで帰るのにも、また別の勇気のようなものが必要な雰囲気になってしまい、Ｐさん家族は、自分達の番が来るまで、「ああでもない、こうでもない」と、２５２番～２５４番に鐘をつく意義について、繰り返し議論し合ってしまったのだった。

「結局、とにかくついてみようということになって、私もダンナも息子も鐘をついたんですけど……冷え込んでたせいか、新年早々親子でインフルエンザにかかりまして、随分長く寝込んでしまったんですよ」

体調が悪いせいか、何をやっても今一つ。

でも、何としても今度の節分で、挽回するのだとPさんは言うのだった。

さて、このPさんの『除夜の鐘』話を聞いて、私はすぐ去年の自分の初詣の事を思い出した。

三浦半島の海ぞいの小さな神社に私は友人達と一緒にお詣りに行った。

ポカポカとても暖かい、とっても良いお正月であった。

お賽銭を入れ、パンパンと柏手《かしわで》を打ち、新年の挨拶をした後、おみくじを引いてみた。

新年早々、不吉な札を引くと嫌だなぁと思うけど、わざと避けるのもまた変だし……

というカンジになって、結局毎年引いてしまう。

いつも中吉か末吉。時々大吉も出るが、アベレージは中をとって中吉あたりだろう。

ところが、この時は、よりによって『凶』を引いてしまったのだ。

「アッチャ～、やっぱりやめときゃよかった」

私はその文字を見るなり思ったものだ。新年はやっぱり縁起をかつぐので、私は目の前が真っ暗になってしまう気がした。

私が一瞬でペシャンコにへこんでしまうと、友達が声をかけてきた。

「ここ、身代り様いるから、平気だよ」

ナヌ〜!? 何だぁ？ 身代り様って？

私は目をまん丸にして、友人について行く。と、果たして寺の奥の方には、ひっそり、こっそり、カマクラのようなものが!?

そして、その穴の中には、身代り様と呼ばれる石像がまつられてあったのだ。

穴の中は暗いので、その姿はハッキリとは見えない。

それにしても、何故身代り様なのだろうと不思議に思っていると、友人が私の疑問を察知したかのように、耳元でささやいた。

「この『凶』のお札……、身代りになってもらう誰かの名前を言いながらお詣りして、ここにおさめていくのさ」と。

あまりに恐い『身代り様』の参拝方法を知り、私はさすがにギョッとなった。

しかし、ここまできて、後にはひけぬという思いもあって……。

本当に申し訳ないと思いつつ、身代りになっても平気そうな誰かいないものかと必死に考え、ついに私は、近所の、いつも私に吠えてばかりいる犬の名を身代り様に告げたのであった。

「モン」という名の、その犬の去年の運勢が『凶』になってしまったかどうかは、私には全く分からない。

が、取り敢えず、「モン」は今も元気で私に吠えてくるので、一応ホッと安心してはいるのだが……。

職人、こだわります

喫茶店で隣り合わせて座った友人A子が、大きな溜息をついた。

「ああガッカリ、楽しみにしてたのに〜」

何の事かと尋ねると『漆塗りのワインクーラーとグラスセット』のウルトラ素敵なのを見つけたので、小学校にあがる娘の桃の節句に親戚や友人達に配ろうと思っていたところ、予定がすっかり狂ってしまったというのだ。

工芸作家の先生の都合で三月三日までには間に合いそうもなく、先方よりお詫びの連絡が入ったらしい。

「うちのマリ子が漆の良さが分かるような大人の女性になった時、記念のものが一つあるといいじゃあないの。中学生になる時じゃあ、もう本人の好みを言うようになるから、今だ！　と思ったのに……」

お願いした工芸家の先生は、見るからに神経質そうな職人かたぎの人で、最初っから

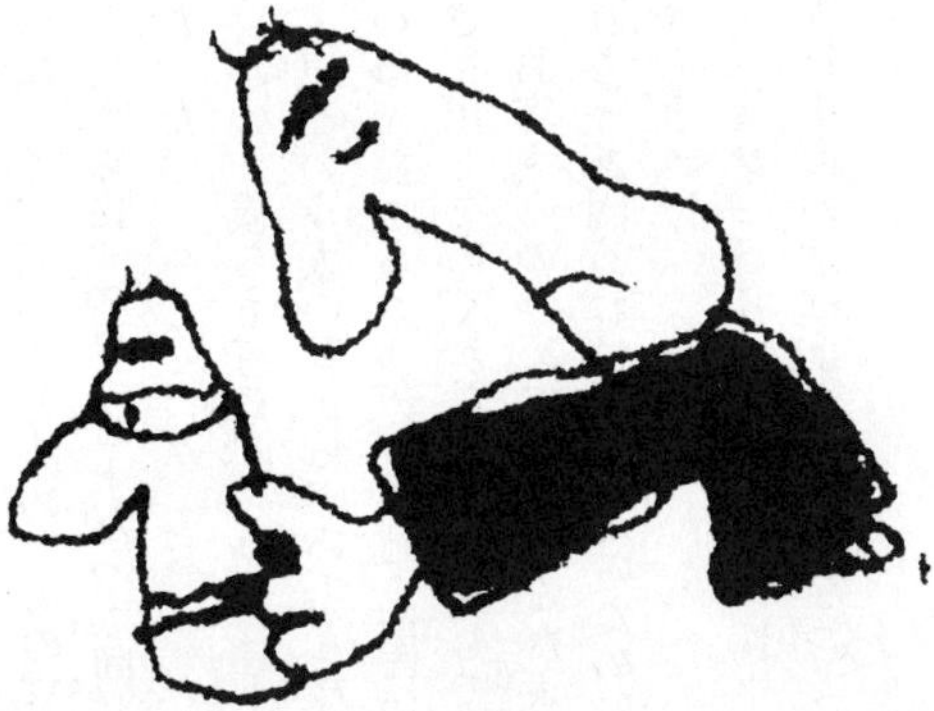

A子の注文した数には「う〜ん」と唸《うな》り声をあげていたらしい。

「できるかどうか、やってみんと分からんもんでぇ……」

と、曖昧《あいまい》な返事の彼に対し、A子の方がいささか強引に頼み込む形だったという。

私はこの話を聞き、即、自分もそれをもらえぬことに気づき、「そりゃあ残念、おしいことしちゃったなぁ〜」と現金な声をあげた。そして、「何さ、そのオヤジ、同じものを何個か作るだけなんだから、頑張って何とかすりゃあいいじゃんねぇ」などと、見ず知らずの工芸家に対して批判めいたことを口走った。

すると今度は、それを聞いたカウンターのマスターがひと言。

「仕様がないよ。こだわって作ってるからいい物ができきんだからさ、大量生産は無理なんだよ。同じ形の物のように見えて、人がひとつずつ手で作るんだから、本人にとっちゃ全然同じじゃあないのさ」

いつになく、バシッと決めたもの言いをする。

そしてさらに、「コーヒーだって同じだよ」と、コーヒーへのこだわりについて話し始めたのだ。

「いいかい、僕らも毎日同じコーヒーを淹《い》れてるように見えて違うんだよ。そもそもコーヒー道という太い幹から、いろんな流派に枝わかれして、各々にはその師匠たる人だっているんだからさぁ。コーヒー屋になろうなんて人間はガンコ者ばかり。どこに自分らしさを出していくかを日々研究してんだぜ。ほれ、自分が飲むコーヒーさえも、これねぇ、お客さんのために飲んでんだよ。だから、『ああマスター一服してらぁ』なんて思われちゃあ困るわけ。『私達のために今日の豆の具合見てんだなぁ』って思ってくんなきゃ……」

サイフォン、ドリップ、エスプレッソ、その他道具の選び方にはじまって、マスターのコーヒー道の話は止まらなくなってしまったのであった。

さて、職人のこだわりについて、一つ面白い話を思い出した。

あれは二年前の出来事だが――。

何かの雑誌で、クリスマスにちなんだグラビア撮影があった。

私と俳優のIさんが大きなケーキをはさんで幸せそうに微笑《ほほえ》んでいる……という設定の写真だったが、この時にちょっとしたこだわり合戦が勃発してしまった。

当日は売れっ子俳優Iさんの都合で、撮影開始時間が、夜の十時からというスケジュールになっていた。

まずは二人一緒の写真を撮り、Iさん単独のを撮り、Iさんが別の仕事へとアウトされてから、その後、私の単独のを撮って、最後にさし絵のように使用するケーキの単独カットという撮影の予定になっていた。

Iさんの部分が終わり、撮影は順調そうに見えたが、何故か彼が帰った後、大分たっても控え室でスタンバる私を呼びにくる気配がない。

時計はもうとうに十二時をまわり、間もなく一時になろうとしていた。

「どうしちゃったんだろう。何待ちなのかなぁ、これ？」

メイクさんやスタイリストさん等、私についてくれているスタッフの間から、少しずつグチる声が漏れ始めた。

「私、ちょっと見てきます」

マネージャーのマルちゃんが、スタジオに様子を見に行ってくれたのだが……。

何とそこではケーキの撮影がおこなわれていたのであった。

マルちゃんは、カチンときて、「ムロイ、ケーキ、の順じゃあなかったんですか?」と、問い質《ただ》してくれたらしいが、スタッフから、「いやぁ、お料理の先生の方からケーキは生物《なまもの》なんで、はやくしなきゃあ型くずれするから困るってクレームでたものでぇ」と言われ、しぶしぶ控え室に戻ってきた。

さすがにそれを聞いた、控え室の私達一同は、「なにィ〜、ケーキ、先に撮ってるぅ〜?」と、あきれ声をあげたものだ。

そして、ついにうちのふぐママ社長が現場に走ってゆき……、「ケーキが生物《なまもの》なら、うちのムロイだって生物《なまもの》よ! もう夜中の一時、ムロイの顔だって、溶けてくずれはじめてるのに……。ねぇ、はやく、ドロドロになる前に、ムロイの顔、撮ってやって下さいな」と交渉したのである。

ところが……ところがだ。

この時のお料理の先生は自分の作品に超こだわりのある方で、ケーキの見た目がわずかでもくずれるのを嫌い、「ケーキを後まわしにされるなら、一から全部やり直しさせていただかねば、撮らせるわけにはまいりません」と、ガンとしてゆずらぬ態度。

つまり、この時間からやり直すという事はスタジオをもう一日おさえなければならぬという事になるので、制作サイドは、やっぱりケーキの方を優先してしまうことと相成ってしまった。

ケーキに負けてしまった私サイドの人々の落胆ぶりはかなりのものだった。

泣く泣く、化粧直しをしたり、マッサージをしたりして場をつないでいたものだったが、当然皆のお腹の中では「一体、どんなケーキだっちゅうの!?」という思いがフツフツと湧いていたのである。

そして、夜中の三時。

全ての撮影が終了した後、お料理の先生より「ケーキいかがですか？」と、問題のケーキをすすめられたわけなのだが……。

さすが……というか、やっぱり……というか、このケーキの旨さと言ったら、この世のものとは思えぬ程だったのである。

「凄いね、このケーキ！　これじゃあ負けても……」

皆に笑顔がもどるのを、私はひどく複雑な思いで見まわしていた。

ああ、ハワイのロケ弁

『ビッグ・ショー！　ハワイに唄えば』という映画のロケでハワイに行くことになった。寒い冬にひと足お先にオサラバして、常夏の島ハワイだ〜！……と、私は大喜び。約一カ月のホノルル滞在にウキウキになった。そして、さっそくハワイ通の俳優Aさんに連絡を取って、ホノルル・グルメマップなるものまで作ってもらったわけだが……。

「シーフードなら『ジョン・ドミノス』、中華なら『キリン・レストラン』が最高だよ。おいしいイタリアンだったら『カフェ・ラッテ』だし、メキシカンなら『ラ・バンバ』がいいね。シゲル君、まぁ、とにかく、ロケ弁に飽きたら、この地図見ていろいろ行って来なよ。どこも旨いからさぁ」と、ニコニコ顔で言ってくれた彼のこの言葉に、チクリ、ひっかかってしまった。

つまり……ロケ弁という箇所だ。

ハワイに行っても、まだロケ弁を食べるのか!?　と、思ったのである。

と、いうのも、何たって私達撮影隊は、仕事を続ける限り、このロケ弁からは絶対に離れられない宿命のようなものを背負っているからだ。

一度気になって『一年に自分が食べるロケ弁の数』をわり出してみたことがあったが……仮に一日二食、ひと月二十日間と少な目に見積ったとしても40個×12カ月＝480個で、一年に約五百個のお弁当を食べているという計算になり、改めて頭がクラクラとしてしまったものであった。

お弁当は嫌いではないが、どんなにゴージャスでも限界がある。安全第一で時間もちのする物ともなれば、揚げ物、焼き物中心で、いたみやすい物は避けるから、だいたいパターンが決まってくる。栄養のバランスを考えるというよりは、取り敢えず、満腹感を与えることばかりを考えて構成されているロケ弁には、むかつくこともしばしばという風になってしまうのである。

「ロケ弁かぁ……確か向うには外国人の現地スタッフもいるとか……外人さんが食べてるハワイのロケ弁って、一体どんななんだろう!?」

こうして〝ロケ弁〟のひと言が、私の中に波紋を投げかけた。そして、どうしても一抹の不安を抱かざるをえなくなってしまったというわけなのだ。

あれやこれやといろいろ考えているうちに、ホノルルに到着。

やっぱりハワイは暖《あった》かい。

花の香りがプーンと漂って、ハワイアンが流れ、のんびり、ゆったり、ホントにいいカンジだ。芸能人の皆さんが結婚式をしたがる気持ちも分からないでもない。でも、どこへ行っても日本人がワンサカいる。日本人の花嫁さんもゴロゴロいるし。時々、ひょっとして「ここは熱海か下田？」なんて錯覚しそうなくらいだが、日本人の観光客が多いせいか、和食屋、そば屋、ラーメン屋、お好み焼屋、寿司屋にカレー屋も、街の中に溢れかえっている模様。

「ヤッター、中華や焼肉、タイ料理にベトナム料理のエスニック系も充実。ウフッ、大OKだぁ」

街をグルリ見渡して、私は大いに喜んだ。が……、それもつかの間。

例の撮影中の食事の件だが、やっぱりAさんが言った通り、しっかりロケ弁が登場してしまった。

「ヒェ〜、何これ、これがロケ弁！」

こちらのロケ弁はどでかい。

30センチ四方、高さ15センチはある大きな箱を開けると、ライスとパンがダブルで並び、巨大なビーフステーキやカツ、鶏の丸焼きが、ドッカーンとトリプルで入っている。さらにそれにはたっぷりポテトフライとマカロニサラダがのっかっているし、この他に、野菜サラダやフルーツ、ケーキ、コーラ等が自由に取れるようにもなっていた。

さすがに、「いい気になって全部たいらげたら、恐ろしいことに……」と即、思ったが、もう三日もたたぬうちに「ベルトの穴二個分ひろがった」だの、「ズボンのホックが止まらないー」等、撮影隊の間から、そんな悲鳴がもれ聞こえてくるようになった。どう見ても、もの凄いカロリーなのだ。ハワイ弁当一箱で、日本のロケ弁の三個分ぐらいのカロリーは充分にありそうだ。一立方センチあたりのカロリーが高すぎて、これじゃあ量を減らしたところで、やせるなんつうことはまずないだろう。

「ヤバめ！　食べなきゃ腹減るし、普通に食べりゃあ即、太ってしまう」

反射的に周りの外国人スタッフにチェックを入れたが、案の定、誰もが超ビッグな体の持ち主ばかりなのであった。ちなみにTシャツのサイズを聞いてまわると、皆、XL～XXLサイズ。中にはスリーXLのお相撲さんばりの人だっていた。

やっぱりヤバイ。私の衣裳は決定済みで、途中からスカートが入らない、とか、背中のボタンが、などとは絶対に言えぬ……。

こうなったらせめて、何食かに一度は、お水とスナック菓子ででもつなぐしかないと思い、おやつコーナーの方をふと見ると、私はそこでさらに目が点になってしまった。なつかしの『マカデミアン・ポップコーン・クランチ（M・P・C）』がいつの間にか置かれてあったからだ。

『M・P・C』はポップコーンに液状のマカデミアンナッツをからめた、旨過ぎる魔物のようなお菓子だ。一粒口に入れたら最後、ひとびん食べつくすまで止まらぬようになってしまう。

以前、近所の女の子にハワイみやげでもらい、エライ目にあったことがあった。『M・P・C』の虜《とりこ》になってしまい、ひとびん食べきった後もすぐまた欲しくなり、ハワイの品を揃えているお店を探してまで食べるようになったのだ。もう無いといられぬ状態……つまり中毒状態だった。

途中で我に返って、やめねばと思ったが、実際にやめようとすると、なかなか大変なのであった。一気に捨てることができず、一日五粒と決めたら後はセロテープでキャップを密封して、棚の奥の方にいちいちしまい込んで我慢したが、それでもそのうち、二重アゴが目立ち始めて、買い込んでいた『M・P・C』を泣く泣くゴッソリ捨てざるを得なくなったのである。

数年ぶりに『M・P・C』に逢った私は、強い衝撃を受けて、しばし立ちつくしていた。

ロケ弁を選ぼうが、『M・P・C』を選ぼうが、もはやハワイで辿《たど》る道は同じなのかもしれない。ならば……。

「この上は仕事で思いっきり汗を流して、せめて少しでもカロリーを消費する方向に……」

　私は『よく食べ、よく働く』という発想の転換をはかり、結局はロケ弁と『M・P・C』を両手に持ってしまったのである。

ビックリちらし寿司

ドラマのロケーションの解散場所が、友人のマンションのすぐ傍だったので、帰りに寄った。

夕飯時《どき》に悪いなぁとも思ったが、目の前なのに知らんぷりするのも自分としては引っ掛かったので、「まっ、いいかぁ」となった。

いきなりの登場はさすがに驚かれたが、それでも友人のA君も奥さんも、小学一年生の娘も、とても歓迎してくれた。

「シゲル、腹減ってんだろう、寿司でもとるか？」

お茶を啜《すす》り始めて十分もせぬうちに、A君が言った。

「いやぁ……大丈夫だよ。平気、平気」

私は一応、遠慮してみせたが、実際のところ、かなりの腹ペコ状態であった。

首こそ左右に振ってはいたものの、腹の虫がキュウキュウ返事をした。

「ほらみろ、何、遠慮なんてしてんだよ」

A君がニヤリ笑って出前を頼みに、受話器を持ち上げた時だ。

ピンポーン、と玄関の呼びリンが鳴った。

奥さんが、「あら、誰かしら」と出てゆくと、何と何と、そこにはもうお寿司屋さんが立っているではないか。

「四〇八号室って……お宅でいいんっすよねぇ。ちょっと失礼しあすよ」

そう言うと、おじさんは一歩中に踏み込んで、大きな寿司桶を差し出すのだった。

寿司屋と聞いて、ゾロゾロ奥さんに続いていた私達は、皆一瞬ウッとなって、お互いに目を見合わせた。

ザッと五人前位はあろう、見事なちらし寿司だ。

「は、速いねぇ、随分……」

「いや、俺、まだ電話かけてねぇよ」

「シゲルちゃん、ひょっとして、途中で頼んできてくれたの？」

「はぁ!?……いやぁ……まさかぁ……」

どういう事なのか、サッパリ解《げ》せぬ私達は素早くそんな会話を交わし、絶対に自分達が頼んだんじゃあない事だけをすぐに確認し合った。

「あの……間違いじゃあないっすか？　うち、頼んでないっすよ。お宅にちらし寿司なんて……」

A君のこの「ちらし寿司なんて」というフレーズを横で聞いていて、――はは〜ん、さては、にぎりを注文しようとしていたな――と、私はチクリ思った。

反射的にそんな事を考えてしまう私は、何て卑しいんだろう。

しかし、実際目の前にあるちらし寿司も、あまりにも美しく旨そうだった。

「まっ、じゃあ仕方ない、うちでいただきますよ」……ってな話の流れになってくれても、それはそれで、私の方はOKだけど……というのが正直な気持ちではあった。ところが――。

「いや、間違ってねぇよ。これ、お宅に届けるよう注文受けたんで……うちの店、隣り町だから、あんまりこっち方まで来ないんだよ。だから念入りに場所確認したから」

おじさんは、どうやらA君宅のなじみの寿司屋ではないらしい。

隣り町からじゃあ間違えるってのも……では何故?……怪訝《けげん》に思った瞬間、おじさんはさらに妙な事を言った。

「大丈夫なんすよ、食べてもらって。お金もうちゃんといただいてやすから」

これには一同、はて(?)となった。

当然A君は、すかさず寿司を注文してきた相手の名前を聞いた。が、これまた、おじさんの方がチンプンカンプンで、

「はて?……名前ねぇ、名前……うーん、名前聞かなかったなあ。ハハハ、でも色白のベッピンだったよ。……いいじゃあないの。毒なんて入ってないよ、俺が作ったんだから。特特上のちらし、これ最高よ!」

と、かなりいい加減なのである。

結局、「心あたりがないから、もらえぬ」「そう堅い事言わずに」の押し問答を五分程やって、次第におじさんをドア向うに追いやる形になり、仕舞いにはドアを閉めた。

それでも、おじさんはおじさんで、寿司屋の責任(?)のようなものを果たせないのは嫌だったのであろうか……ドアの向うから、「ここ置いとくから、食べて下さいよッ」と、大きな声で私達に呼びかけ、ちらし寿司を置き去りにして行ってしまったのだった。

さて、ドアのこちら側で私達は困った。

㊥「どうするの?　お寿司」

Ⓐ「だって、知らねえ奴からの、不気味だろ？」

㊉「そっちじゃあなくって、東寿司さんに注文しようとした方のお寿司よ。だって、変じゃあないの。出前に来た時に、手つかずのちらし寿司が表に放っぽってあったんじゃあ」

成程、確かに奥さんの言う通りだ。

「そうだよねぇ。でも、まさか、そのためにあれ隠すのも妙だし、勝手に捨てるわけにもいかないし……寿司やめて、うなぎとっても、カツ丼とっても、やっぱりまずいよねぇ？」

私は、すっかり自分が御馳走になる立場だという事を忘れて、少し興奮してそう言った。

しかも、この私の言い方が、どうやら切羽詰まって聞こえてしまったらしい。

「そうだよな。シゲル腹減っただろう？」

と、A君が本当に申し訳なさそうに言った。

そして、それまで黙って大人の話を聞いていた娘のナオちゃんが、

「ナオもお腹すいたぁ、お寿司は〜？」

と続き、さらに、

「どうしよっか。ちらし……食べちゃう？」

と奥さんが声を潜めてきり出したのである。

それで十分後。奥さんがちゃっちゃと作ってくれた、お吸物と酢の物がテーブルに並べられると、玄関からちらし寿司がA君に抱えられて出戻ってくる事になった。

本当は食べちゃあいけないのに……と思えば思う程、ちらし寿司は素晴しく旨かった。

そして、言葉少なにモクモクと……私達は五人前をペロリいただいてしまったのである。

しかして、このちらし寿司の話の結末だが、十日程して判った事には……。

A君宅から、日頃お中元やらお歳暮やらをもらって、ちっともお返しをしていなかった旧友が、四月一日、エープリルフールに思いついた、ちょっとしたシャレだったらしかった。

理由を聞いて私は、「なんだぁ、そんな事かぁ」と苦笑したが、「あんなに旨い寿司なら、私も時々もらってもいいけど……」と、思わず喰いしん坊の本音もA君に向かって漏らしてしまった。

厄年に何をする⁉

撮影スタッフの女性達とお酒を飲んでいたら、Kちゃんが溜息をついて言った。

「私、ここんとこ調子悪いんです。実は三十三歳の厄年で……やっぱりあるんですかねえ、厄年っていろいろ？」

心配そうに私を見る。

酔った勢いにまかせて、こちらは「そんなの迷信よ」と笑い飛ばすが、Kちゃんは益々眉を八の字にさせて鼻声になった。

「だって体の調子悪いし、彼とも別れたし、仕事もすぐにミスしちゃって……。十九歳の厄年ん時はぜんぜん平気だったのに……」

そんなに気になるのなら、一度お祓《はら》いに行ってみたらどうだと、メイクの大先輩もなだめたが、Kちゃんはそれにも大きく首を横に振る。

「行きましたよ、佐野厄除《やくよけ》大師に。でもそのすぐ後に、車に乗ってて後ろからオカマほられたし、風疹にもなったし、お財布も落っことしたし……。踏んだり蹴ったりだったんで、私、自力でとにかく何とかしなきゃってんで、人からいろんなおまじないまで聞いて……」

女性の場合、蛇革の素材のもの（財布やベルト）を持ったり、うろこ形の模様のものを着たりすると良いと言われるので、ひょっとして鯉のぼりでワンピースでも作ったのかと思いきや、Kちゃんの言う『まじない』とはもっとスペシャル変わったものだった。

道の辻の所に自分が普段使っている櫛やハンカチ、お金なんかを、人に見つからぬように捨ててくると厄祓いになると聞いたというのである。

まさか!? と、半信半疑ではあったらしいが、もう藁《わら》にもすがる気分だったので、Kちゃんはある朝それを実行したのだそうだ。

自宅近所の、人通りの少ない四つ辻に、早朝忍んで行って、小さなブラシと木綿のハンカチーフ、そして五百円玉を二個、道の脇の方にポイッと投げ捨ててきたのだ。まるで子ネコをこっそり捨ててくるみたいに、後ろを絶対に振り返らぬようにして、一目散にその場を走り去ったのだが……。

よりによってだ。こんな時、彼女を追っかけてくる人があった。

Kちゃんが去った直後、ドンピシャリのタイミングで、四つ角のどこかの小道から、その男性は犬と共に現れた。

故意にそんないろんな物を捨てるなんて、よもや誰も思わぬから当然だろう。

その人は全部拾って、犬と一緒に猛然とダッシュしてきたそうな。

「スイマセーン、スイマセーン」の声に、Kちゃんはまさかと思いつつ振り返った。そして、ニコニコ顔で差し出されたその品々を見て愕然《がくぜん》となったというのであった。

さて、メイクの大先輩がKちゃんのこの話をジーッと聞いていて、突然口を開いた。

自分はもっと強烈なのを知っている……というのである。

『正月十五日の早朝、通りすがりの人に声掛けて返事が返ってきたら、その年の自分の悪運は全部答えた人に移る』とか、『正月の十四日の夜中に藁人形を作り、その中に自分の年齢だけのお金や米を詰めて、翌日道に捨てる。誰かがそれを踏んでくれれば悪運は踏んだ人に移る』……と。

あまりに恐過ぎて、当のKちゃんは目をまん丸にして益々混乱ぎみになった。

が、結局のところ、もう正月は過ぎているのだし、後は今年一年いかに静かに注意して暮らすかしかあるまい。「そうだ、厄年の女性は子供を産むと厄落としになるから、いっその事、積極的に子作りにはげむしかないんじゃあ」……なんてぇ誰かが言い出し、次第にその場はワイワイ酒場のノリになっていったのであった。

さて、本当に偶然なのだが、最近耳にした厄年の話が他にもある。それは近所の喫茶店のマスターの話だ。

私が例によって、オリジナルブレンドをすすっていると、マスターが一枚の写真を出してきた。

黙って、とにかく写真をよく見てくれ……というのである。それは、どこかの冬山で撮った十人ほどのパーティーの記念写真のようなものだった。

「フムフム、楽しそう……で、何？」

そう言うと、すかさずマスターはもう一枚別の写真を私の手の上に重ねてきた。

「この二枚、ほんの数秒しか間隔を置かずに撮ったんだよ。さぁ、よ〜く見て」

マスターの言うように、二枚目の写真は、皆の並びも同じだし、さしてポーズが違っているようにも見えない。

「何よ、何よ。何かあんのこれ？　分かんないよ〜」

じれた声を出すと、その私を遮《さえぎ》るように、マスターが次の瞬間「林の中ッ！」と言った。

ゲッ……ゲ、ゲ、ゲェ〜〜〜！

何と、二枚目の右端の林の中に、十人のパーティーを覗き込むような、登山の格好をした一人の男の姿があるではないか。何だか輪郭のハッキリしない、そこだけピンボケしたみたいな不気味なカンジだ。

山はかなり深く、辺りに人がいれば見過ごすはずなどない場所なのだという。覗く人のサイズも何だか妙で遠近のバランスが狂ってるようにも見える。

どう考えてもおかしい。ひょっとしてこれぞ心霊写真なのでは!?　と思ったマスターは、その道の人に、この二枚の写真を見てもらったのだそうだ。

「今日ね、写真が送り返されてきて、手紙がそえてあったんだよ。……やっぱりこれ、立派な心霊写真らしいよ。しかも、何て書いてあったと思う?　手紙に……。『実は、この写真の人々の中に厄年の男性が二人いらっしゃいます。林の中の霊を呼んでしまったのは、そのお二人が原因と思われます。すぐにお祓いを受けられた方が良いです。さもないと、再び何か起こる事も……』ってあったんだけど……」

話に反応して、私が「ウッヘ〜」とトンマな声をあげたので、それにつられてマスターも一瞬プッと吹き出した。が、またすぐに緊張した顔つきになってさらに続けたのである。

「で……、その厄年の二人のうちの一人って、俺なわけ。数えの四十二歳。男の本厄だよ。まいったなぁ。何で分かるんだろう、そんな事。やっぱり神社行った方がいいのかなぁ……」

マスターのこの発言には、私はもうびびって、声も出なくなってしまった。

女の子の十九歳の厄年に霊感のようなものが突然芽ばえるという話は聞いたことがあ

るが、男の四十二歳の時も同様なのだろうか。

そもそも厄年は身体が変化する年齢だから注意すべしという事なのだろうが、実際に起こってしまう様々な災いや奇妙な現象をみると、「どうもオカルト入ってるぞ〜」としか思えないのである。

「ウッ！」京香さん

フジTV『アフリカの夜』のロケーションを、六本木の裏通りでやっていた。

早朝、五時ぐらいからスタンバイして、六時には撮影開始。八時ぐらいになって、誰かのマネージャーさんが、「あれっ!?……人だ」と、ロケ現場とは反対の方を見て、ボソリ言う。

その声につられて、私達、待機中の役者やマネージャー達も、後ろの方を振り返ると、そこには背広姿の男性がひとり、アスファルトの上に横たわっていたのだ。

「あれッ、いつの間に……どうしちゃったんだろうね、具合悪いのかなぁ」

突然出現したマグロのような巨体にびっくりして、私は思わず二、三歩前進し、口走った。

「いやぁ……ただの酔っぱらいじゃあないか？　夜が明けたのになかなか帰んないから、きっとお店から、おっぽり出されちまったんだよ。気ィ〜付けなきゃあな。俺達も、人

の振り見て我が振り直せだぜ」

俳優のAさんは苦笑しながらそう言った。

が、私はそれでもちょっと気になって……。

「でも……万が一って事も……。救急車呼んだ方がいいのかもよ」

そう言いつつ、十メートル程先まで近寄って行って、男の安否（？）を確認した。

背広の男はおじさんで、かなり酒臭く、小さくいびきをかいていた。

どうやらやっぱり、ただの酔っぱらいらしい。

Aさんの推測通り、雑居ビルの中にわんさかとある、どこかのＢＡＲかスナックから出されたのだろう。

もう、お日様がサンサンと照りつけているというのに、グーグー寝ている。

放り出された鞄からは書類がはみ出し、靴

も脱げている。その鞄も靴も背広もけっこう上等なものだ。

「同僚や家族があのザマ見たら、さぞかし嘆くんだろうな〜」

「そうねぇ、お酒って、暗いうちにベロベロだといい気分なのに、夜が明けた途端に、何でこんなに飲んじゃったんだ？……って」

「そうそう、最悪の気分になったりするもんだよなぁ。あのオヤジも、目が覚めたら、ゲッソリだろうに、ハハハ」

私達は離れた所で、自分の出番を待ちながら、熟睡のおじさんを眺めていた。お茶を飲んだり、タバコで一服入れながら「ああでもない」「こうでもない」と、皆、酔っぱらう事についていろいろ語り合いながら。

ところが……だ。

そのうち、ちょっとした変化が、この酔っぱらいに現れた。

おじさんは、「う〜ん」と唸り声をあげながら、おもむろに自分の手をズボンのベルトの方に持って行くと、モゾモゾそれを緩める動作を始めた。

そしてさらに、その十秒程後に、突然……。

そうだ。あまりに突然に、一気にズボンとパンツをスルリ自分の足首まで下げてしまったのだ。

やけに青っ白《ちろ》い、まん丸なお尻が、私達の方に剝き出しになる。

皆、一斉に、そのお尻に目が釘付けになり、絶句してしまった。

さて、問題はこの後だ。

私達は七人で小路の一角に椅子を出してくつろいでいたわけだが、次の瞬間、何故か七人のうちの六人が、一番端っこに座られていた女優の鈴木京香さんの方を反射的に振り返ってしまった。

私も真っすぐに京香さんの顔を見た。

「あっ、マズイ！　オヤジのおケツなんかを京香さんに見せちゃあ……」という思いが、咄嗟に全員に過《よ》ぎったのだと思う。

京香さんは、私達同様、口をぽっかり「アッ」という形に開けられたまま、オヤジのお尻を見て、びっくりされていた。

「ヤバイッ。やっぱり京香さんも見ちゃった。あれ何とかしなきゃあ」

皆、心の中で叫び声をあげながら、今度はオヤジの方に再び向き直る。

すると、何とこのオヤジ、まるでそれに答えるかのごときタイミングで、大きく寝返りをうって、大空に向かって大の字になってしまった。

「げ〜〜〜〜〜〜〜〜〜〜〜ッ！」

オヤジの恥部が丸見えになり、さすがに私達の中から声が漏れた。

だって、そりゃあそうだ。

いくら京香さんが、TVで『モルツ』を薦《すす》めているからって、酔っぱらいオヤジのこんなものを見せていいわけがない。

私達は、どうしても京香さんの反応が気になり、ドキドキしながら、もう一度、京香さんを振り返る。

さすがにこれには京香さん、真っ赤になられて、すでに手で目を覆われていた。

「ほら見ろオヤジ、調子に乗るなッ」

多分、皆、腹の中、そんな気持ちでオヤジを睨みつけたと思う。が……、夢うつつで六本木のこの裏通りを自分の寝室と勘違いしまくりのオヤジは、次の瞬間、よりによって、お尻やら股の間やらをボリボリと掻き始めたのだ。

お尻の部分に丁度陽が射してかゆいのか、はたまた剝き出しで蚊にでも刺されたのか……。オヤジの手元の動きは、かなり激しいものだった。

人が誰の目も気にせず、あんなに一心不乱になって下半身を掻き毟《むし》る姿を、私も初めて目の当たりにした。

だから、呆気《あっけ》に取られて、ついつい私はその恥ずかしい姿に、ジ〜〜〜〜〜ッ！　と見入ってしまったのだ。

「ちょ……ちょっと、やめて下さいよ。ムロイさん。みんな笑ってるぅ……そんなに見つめちゃぁ」

マネージャー見習いのオカメちゃんが、私の着物の袖を引いてくれて、はじめて我に返った程だ。

チラチラ後ろ目にして、ハラハラされている京香さんの態度と、私の正面切った挑むような態度があまりに違い過ぎていて、失笑をかってしまっていたらしい。

「エヘヘヘへ、嫌だぁ、あんなにねぇ……」

私は照れ隠しに、ついに京香さんに声を掛けてしまうと、京香さんは恥ずかしそうに小さくクスリ笑われた。そして、

「本当にね、困っちゃいますね、あんなにボリボリ掻いちゃって」

と、簡潔に感想を述べられたのだった。

さて、下半身剝き出しのこのオヤジの「かゆいかゆい」だが、それはこの後、約一時間程続いた。

「このまま掻き続けちゃあ、体に毒なんじゃあ……」と、次第に心配する声まであがり始めた頃、どこからともなく、ゴム手袋をはめたおまわりさんが、ウンザリ顔で登場した。

まるでオヤジは、ゴミ袋でも回収されるような感じで、襟元をつかまれ、つまんで持って行かれたのであった。

エステにて（綾瀬の巻）

事務所のオカメが、いつになくツルツルの顔で歩いて来る。

「どしたの。何だか今日、ツルツルじゃあなぁい？」

そう、声を掛けると、「ウフフ、私、昨日エステに行ってきたもんで……」と、言うではないか。

オカメは二十三歳。まだマネージャー見習い中だ。

女優の私とて、とんとエステなぞ行ってないというのに……。

「ゲロゲロ、なまいき〰〰。エステなんて金持ちね。いいな、私も行きたい」

やっかみ半分で冷やかすと、オカメは急に顔を曇らせた。

「……でも、私の行ったエステ、ちょっと変なんです。友達が受付でバイトしてるから行ってみたけど……綾瀬だったからかなぁ？」

ブチブチ語尾がはっきりしないので問い質《ただ》すと、彼女はちょっと興味深い事を言った。

滋「綾瀬のエステが変って……何さ」

オカメ「いえ、それが……待ち合い室の椅子に腰掛けて、ふと周りを見まわすと、ちょっと様子がおかしかったから……」

滋「様子がおかしい？」

オカメ「はい。待ってる人達、着てるものは皆、派手なんですけど、よくよく見ると、私以外は全員、おばあさんなんですよ」

滋「おばあさん？　おばさんじゃなくて？」

オカメ「すっごいおばあさん……老婆ですよ。私、『アレッ!?』ってなって受付の友達の所にもう一度ひきかえして、『ここでいいの？』なんて聞いちゃったくらいなんですもん。エステっていうより、病院の待ち合い室にいるみたいで……。でも、友達はケロリとした顔で、『大丈夫だから、おとなしく座っててッ』って……」

オカメは、昨日の事を思い出しながら、ますます解《げ》せない！　という顔になった。

そんな彼女に私は、「おばあさんだって女性なんだから、そう不思議がることないじゃないの」と、ここで一応きつめに意見した。

が、オカメの方は、目ん玉をまん丸にして、「ウエッ……だって……もう……ねぇ」と、言葉を濁す。

ウエッ……だってもう……ヨボヨボなんだから……今さら何したって……一体、何のために、誰のために……ねぇ……とでも言いたいのか？

確かに、おばさんのうちは老化を少しでも遅らせて、なんとかシミ・シワを作らないようにキープするという、大きな目的があるので、分かりやすい。が、おばあさんになってしまうと、すっかり老化してしまっているわけだから無駄なんじゃあ？　という疑問を単純に持っての発言なのだろう。

若いオカメから見たら、おばあさんのエステはメチャクチャ奇っ怪なものに映ったに違いあるまい。

もうすっかりオバサンの私には、さすがにオカメと一緒になって「ウッソ〰〰信じらんない」なんて黄色い声をあげるのは憚《はばか》られる。が……、それでもやっぱり、私も、『おばあさんだらけのエステとは!?』と、内心ハテナ印でいっぱいになってしまった。

さて、受付の友達から諌《いさ》められたオカメだが、再び元の場所に戻ってはみたものの、そのうちどうにも我慢できなくなって、ついに隣りのおばあさんに質問をしてしまったという。

「あの、ここで、何してんですか？」

とっても失礼なオカメ。

が、おばあさんは、特にむかつくわけでもなく、「フェイシャル」とケロリ答える。

「ヒェ〜〜〜、やっぱり。どうしてですか〜〜〜？」

オカメは益々失礼な口をきくのだが、これにも……、

「今、仲間うちでさぁ、はやってんだよ、フェイシャルがさぁ。理由はねぇ、フェッフェフェフェ……何だと思う？」

おばあさんはオカメをからかうように笑って、初めて振り向いた。そして、「それはねぇ、死に化粧が映《は》えるからさ。棺桶の中の顔シゲシゲ皆に見られて、こぎたないババアだったなんて思われちゃあ、死んでも浮かばれないじゃあないの」と、キロリ睨《にら》みつけて、鋭く言うのであった。

さすがにオカメもこれにはギョッとなって、「エッ、死……死に化粧ですか!?　一体、お、おいくつなんでしょう」などと、超ストレートに投げかける。

そして、「この夏で七十七さ」というおばあさんの言葉に、さらには、「それじゃあ、

国民健康保険とかもきいちゃうんですか？」と、つっ込んでいったが、そこの所で、おばあさんからの返事はとぎれ、終《しま》いにはプッツリと会話がなくなってしまったのだった。

綾瀬事件の一部始終を聞き終えて、私はオカメを前に、ウ〰〰〰ン、と唸り声をあげた。

自分がその場にいて、聞きたくても絶対に聞けぬ事を、オカメがあっけらかんと言ってしまった事に対する「ウ〰〰ン」である。

羨望と困惑の混じった声をしばしあげた後、私はコホン！　と、ひとつ咳払いをしてから、先輩づらをして、オカメに向かった。

「オカメちゃん。ダメよ。国保だなんて失礼よ。私達だって、いつかおばあさんになるんだから。そんな事、若い奴から言われたら悲しくなっちゃうでしょ。女の人は若いうちはボロボロの服でも若さで何とかなるけど、年取っていくにしたがって、身だしなみをちゃんとしなきゃあ、みっともなくなるって言うもの。だから、ステキな事なのよ、そのおばあさん」

私はどこかで聞いた風な事をオカメに説教した。

が、そのあげく、それでもどうしても気になったので、ガラリ態度を変えてしまった。

「ところでさぁ、どうだった？　そのおばあさん、きれい？　その辺のおばあさんと比べてどお？　違う？　フェイシャルの効果は？」

声を潜めて尋ねると、オカメは待ってましたと言わんばかりに身を乗り出した。

「それが……はっきり言って、肌はどう見ても五十代後半。シワは多少あるんですけど、とにかくシミがひとつも無くって、真ッ白白。美白効果バリバリなんですかねぇ。腰はまがってんのに、顔だけはよく見るとやたらツルツル。鈴木その子も真ッ青ってカンジでしたよ」

興奮ぎみに言うのである。

一等聞きたかった事をついに聞き、私の興味もテッペンまでつきあがった。

「お願いッ、私もそこに行ってみたい」

私はそう叫んで、次の休みに案内してもらう約束を、オカメから取りつけたのである。

エステにて(池袋の巻)

『おばあさんが集うエステ』の噂を聞き、興味津々《しんしん》で、それから一週間後のお休みの日に、私も綾瀬のお店に繰り出すことにした。

さっそく予約の電話を入れたところ、例のオカメの友達の受付の女の子から、「池袋のお店は、もっと凄い!」とのニュー情報をキャッチ。

どうやらチェーン展開している、かなり大きなエステらしい。

しかし、何がどう凄いのだろう? よく分からずストレートに尋ねると、「ばあちゃんの数と、年齢、そして綾瀬よりブクロの方がシティー派なんですよ」と女の子はケロリと言う。

シティー派って……何だぁ!?

やっぱりピンとこない。より一層、都会だから、派手なばあさまが多いってことなのか?

「ＯＫ、じゃあ、そっちにチェンジ」

何だか、よりミステリー度が増してしまったが、予定を変更して、私はオカメと共に、池袋のお店へと向かうことにした。

さて、エステ○△は、池袋の繁華街から少しはずれた商店街の、小さなビルのワンフロアーにあった。

外見は何ら他のエステと違わぬが、中に入ると、フカフカのソファーが並ぶ待ち合いサロンには、期待通り、シャキシャキのシティー派ばあさんがひしめき合って……。目を凝らしてよく見ると、確かにオカメが綾瀬でリサーチした通り、背中や腰こそ丸いが、誰もかれも色白でピンピンの張りのある顔をされているのである。

「ホントッ、わ……若いね、顔は……」

思わずそうつぶやくと、オカメが「フフン、でしょ〜〜〜!?」と、自慢げに鼻を鳴らす。

私達は、自分達のお肌チェックカードの書き込みもそっちのけで、彼女らのにぎわいぶりに、目ばかりが、もう釘付けになってしまう。

「ちょっと〜、この間のホワイトニング、あれ、良かったわよ。うちのが、お前、惚れ直したよって、ギャハハハ」

「アタシはねぇ、今日はワインパックに、リフトアップ、ダブルでやりたいんだけど、この後ね、接骨院の予約入ってるから、時間大丈夫かしらねぇ」

「ワタシャ、少し毛穴の汚れが気になんのよ。これ取ってちょうだいね。……でも、風邪ぎみだから、ボデェーはやめとくわ」

様々の注文を、エステティシャンのお姉さんが、おばあさんの前に跪《ひざまず》いて、ニコニコと聞く。

今の体調やら、他の病院の予約時間等のことを配慮しながら、メニューを決めてゆくのだが、その間にも、おばあさんの背中をさすってあげたり、足を撫でてあげたりしている。

おばあさん達も、ついつい膏薬を貼った背中や神経痛の肩をお姉さんの方につき出して、通院している病院のことを愚痴ったりなどもしてしまう。

まるでエステティシャンは、顔をきれいにしてくれる、やさしい看護師さんのようなのだ。

「もう、この頃、めっきり弱くなっちゃって……。私、咳込むんだけど、石膏パックやって、大丈夫かねぇ……」

一人のおばあさんが、ドマジにそう言ったのには、私もオカメもついつい反応して、「ヤバイヨ、デスマスクになっちゃぁ！」などと、こっそり声をそろえてしまったものだ。

さてさて、私達も自分達の番がきて、フェイシャルルームに入る。広々としたフロアーにタップリとした間隔を置いて、ベッドが何台も並んでいる。清潔でオシャレで、とてもいい匂いがする。

おばあさん達の肌を穴の開く程眺めて、「ムムム、このエステ、デキルな！」と確信した私は、ワクワクして横たわった。

「それでは、初めてのお客様ですので、本日はベイシック・フェイシャルコースをお試しいただきますね」

エステティシャンのお姉さんがそう耳元で囁《ささや》くと、クレンジングマッサージが始まった。あくまでもやさしく、きめ濃《こま》やかだが、時々ピピッとほど良い刺激も与えてくれる。そのテクニックたるや、なかなかのものだ。

「ああ、気持ちいいですぅ〜〜〜」

溜息まじりにそう漏らすと、まるでお返ししてくれるみたいにお姉さんが言う。

「ええ、私も……。だって久し振りなんですもの、お客様のようなお若い方のお肌にふれるのって……」

思わずドキンとなって目を開くと、お姉さんはニッコリ微笑んだ。

「うち、けっこう年齢層高いんです。それなりの効果があるらしくって、通って下さる方が増えてるんですけどね……ほら、あちらの方なんて八十六歳なんですよ。とってもおきれいになられて……、ステキなんですよ」

おきれいになられた……という、、、その言い方がおかしくて、澄ましてつっぱらかっていた私の顔がクシャッとほころびてしまった。

たまらず、こっそり横目で盗み見したが、果たして……。

いや、確かに、ひとつ向うのベッドでピーリングジェルを塗られているおばあさんの顔は、とても若々しく、何よりもおだやかに見えた。

「実はあちらのお客様、腰がお悪くって、明日から病院に入院なさるんですけど、その前に、フェイシャルやって、髪も染めてっておっしゃるんですよ」

お姉さんが続けてそう教えてくれたが、さすがにこれにはちょっと驚いた。が、同時に、なかなかできないことだと、感心もしたのだった。

この様子を見ていて、病床にあった知人の母親の話をフッと思い出した。

病院のベッドの上で、いつになく調子の良い朝に、お母さんが、「髪をシャンプーして口紅をさして欲しい」とねだったというのだ。

「何、言ってんのッ」と、彼女は最初、頭ごなしに叱ったらしいが、お母さんがあんまり何度もせがむので、仕方なく、注意しながらシャンプーし、薄くお化粧をしてあげたのだという。

久し振りにこざっぱりしたせいか、お母さんは鏡を抱えて何度もありがとうと、嬉しそうだったそうな……。しかしてその翌朝、まるで眠るように静かに逝《い》ってしまわれたのだった。

「あんなこと、突然言い出すから、もしかしてって思ったけど……」

彼女はポツリそう言った。が、その後、

「でも、お母さんの眠った顔、あんまりきれいだったから、私、あのままずっと見つめていたかったものね」

と、遠い目をしてフッと、うっとり顔になった。

私も、その顔を見て、彼女が最後に、本当に素敵な親孝行をしてあげたんだなぁ〜と、胸が熱くなったものだった。

私は、老いて体力もなくなった時に、自分がどこまで身ぎれいにしていられるか、今からすでに自信がない。

が、今回いろんなおばあさんに出会って、

「それでも頑張って、素敵な先輩を見習わなきゃあ」

と、池袋のエステで痛感したのでありました。

あとがき

ある日の事。

原宿のド真ん中のNEWなビルディング。

エキゾチックなカフェやブティックがおすまししして並ぶ中、すいすいエスカレーターで昇ってゆくと、その最上階に見晴らしのいいレストランがあった。

ランチタイムが終わる頃に、お願いして雑誌の取材の撮影をさせてもらう事になっていたのだが……。

「あれ、何だかこのカンジ、前にも一度、見た事あるような……。でも、このレストラン来んの初めてだよなぁ……」

レストラン入り口までの道中の景色や様子に何となく見覚えがあって、あれッ!? となったが、それが一体いつの記憶なのかは思い出せないでいた。

ところが、店の中に入って、着席するや否やである。

ウエイトレスの女の子がパタパタ走り寄ってきて、「あの～、これッ……」と、私に声を掛けてくるではないか。

差し出された手の先には、一通の手紙がある。

何だろう？　と思って、彼女の目の前ですぐに封を開けたのだが……。そこに書かれている文章を二、三行読んだ途端に私はギョッとなって、「ウォ～」と突拍子もない声をあげた。

「拝啓　室井様

いつぞやは、私共《わたくしども》のフロアのトイレにて御迷惑をおかけし、誠に申し訳ございませんでした。『すっぴん魂《コン》』でことの次第を知り、緊急に会議を開き、さっそく全館のトイレをリニューアル致しました。……（中略）

今後共、当ビルを御愛用下さいますよう心からお願い申し上げます。」

何と何と、手紙は「週刊文春」の連載で〝トイレを改善して下さい〟を読まれたビルの支配人からであった。

どうりで見覚えがあると思ったら、このレストランは例のスタジオの隣にあったのだ。

私は頭のテッペンから足の先っちょまで真っ赤っ赤になって、ガバッと立ちあがった。

そして女の子に向かって、「す、すいません。私ったら……全館リニューアルだなんて……ああ、どうしよう……あのッ、お掃除のおばさんは大丈夫ですか？」などと、しどろもどろにうろたえてしまう。

私の心情を察知してくれてか、女の子のほうはニッコリ笑って、「大丈夫です。おばさんも私達も、『すっぴん魂《コン》』で助かりましたから」と言ってはくれたが……。

私は思った。正直に感じた事を、自分なりに愛情を持って書いてはいるつもりだが、ひょっとしたら、あちこちで皆さんに大変な迷惑をかけてしまっているのかも、と。

そして、手紙を繰り返し読めば読むほど、心臓がバクバク、心がチクチク鳴り続けてしまうのだった。


ああ、本当に面目《めんぼく》無い。


装幀の日比野さん、イラストの長谷川さん、デザイナーの鶴さん、「週刊文春」の松井編集長に向坊さん、出版の宇田川さんに藤田さん、事務所のふぐママ社長にマルちゃんにオカメも……、そして読者の皆さん、いつもいつもこんなトンマな私を見守って下さって、ありがとう。

今度こそ、愛印《あいじるし》あふれる『すっぴん魂《コン》』を目指さねばッ！

平成十一年　秋

室井　滋

千秋 to ムロイ、ムロイ to 千秋

『すっぴん魂 愛印』を、歌手でありタレントである千秋ちゃんに贈ったところ、こんなお手紙をいただきました。

お久しぶりです、千秋です★

あの香港での社交ダンス以来お仕事でもほとんど会えませんねぇ。まあ女優さんとバラエティ班じゃ同じ芸能界とは言え職種が違いすぎますもんね。また室井さんがバラエティ界に顔出してくれないとなかなか会えませんよ(私が演技界に行くことはなかなかありませんので)。

だけどなぜか近い存在な気がするのはなんでだろ? 私だけかな? 昔の人みたいに郵便屋さんを間に挟んでのお手紙のやりとりは結構してますよね。この前送った着古したセーター、「どうにでもして」とは言え、一度くらいは袖を通してくれました?

うちにはあゆうお洋服が沢山沢山あります。増える一方で困ってます。実はあまり衝動買いをしない方なんですが、だからこそ本当に気に入った精鋭達ばかり集まってくるので捨てる服がないのです。野球で言えば全員一軍なので二軍落ちになる選手がいないのです。衝動買いはしないといいつつも仕事柄、衣装として服はかなり買います。また一軍ばかりが増えるのです。

室井さん、服に見切りをつけるのはいつですか？　また、二軍落ちした場合、すぐにゴミ箱行きじゃあないですよね？　私が室井さんにしたように誰かにあげるとか、フリーマーケットに出すとか、はたまた他にいい方法があるかしら？

そしてさらに問題は下着の捨て頃。無駄に高い下着、まだ使えるとか思ってたら増える一方ですよね？　そしてもっと困るのが靴下達！　これはお手頃価格で可愛いのもいっぱいだからついつい買っちゃう。が、穴が空くまで履く靴下なんて大人になってからは有り得ないので、また溜っちゃいます。

さあ、はっきり教えて下さい。いつ！　どこで！　どのように!?

それから出先でのトイレのトラブル、よーくわかります。あの後、また嫌なトイレとか発見しました？

数あるトイレの中から自分が選んだ便座のフタを開ける時、マジでドキドキします。それも嫌〜なタイプのドキドキ。開けた時キレイじゃなかったら……ハズレだった瞬間には吐き気と自分の運の無さにガックリきます。自分が流して、なかったことにして、気分も新たに使おう、なんて到底思えません。室井さんみたいに、後から来る人に誤解されないよう、かなりの悪意を込めて、はあ〜っと溜め息をついて即、出ます。これが私の精一杯の対処法。

トイレという場所が嫌いなんです。小学生の時、校内のトイレに入ったことが一度もない。常に家に帰ってから、でした。それくらい嫌いなんです。だから汚いトイレは最悪。

そうそう、こんな私のワーストトイレは室井さんと行った香港の九龍公園の公衆トイレです。ロケ中やっと探して入ったのに一秒で出てきたのを覚えてませんか？ あのトイレは……なんと！ 三色に汚れていたんです！ オエーッ書くのもおぞましい。地獄絵でした。あれ以来、和式には入れなくなりました。軽いトラウマです。

これを払拭する、衛生的なトイレエピソード、あったら有り難いんですが。

千秋より

千秋からの手紙にもあるように、私達は時たま文通!?のような事をしています。私の方が時代遅れなオバサンなので、メールとかじゃあなくって、いつも手紙とかハガキ！

私としては千秋の可愛い丸文字が眺められるので楽しいですが、彼女の方はちょっぴり迷惑かも……。

でも、千秋が針金のハンガーにテーピングして可愛く改造したり、小物を作ったりしている様子を雑誌などでキャッチする度、「手作業ないい娘だなぁ」とシンパシーを感じ、こちらも写真付きオリジナルムロイハガキを思わず送りつけてしまうのであります。

ちなみに、彼女の手紙の中にもある〝古着のセーター〟をもらった時には、あまりに嬉しくって、『テレビで見かけた、あの服は？』というタイトルでエッセイまで書いてしまいました。

左はその一節！


〝……それなのに。そんな矢先、私の元に、大変なものが送られてきてしまった。タレントの千秋ちゃんからだ。

荷物を開けると、上の方に手紙が入っていた。

『Ｄｅａｒ　室井さん。

お久しぶりです。千秋です。昔、ウリナリの社交ダンスの頃、私が着ていたセーターを「そのセーター可愛い、捨てる時ちょうだい」って言ってくれたのを覚えていますか？　その捨てる時が来ました。

私も気に入っていたので、シミｅｔｃあるような気もしますが……、室井さんも忘れているかもしれませんが……。いらなければどこかにやっちゃって下さい。

とりあえず送ります。

千秋より』

驚いて包装をとくと、中から赤・白・紺の三色のフランス国旗みたいなセーターが出てきた。

「ああ、覚えてるこのセーター。確かにくれって言った……か……も〜」

懐かしさと、千秋ちゃんの律儀さ、可愛らしさに感激して、一人大きく頷いた。

今の自分にこのヤングなセーターが似合うかどうか、あまり自信は無いけれど、とっても嬉しかったので、ありがたく着させてもらおうと思った。

たとえ町行くＴＶウオッチャーの皆さんから、「あれッ、あのセーター、千秋んだ」なんて言われても!!〃

実は、このエッセイを書いてから、私はもらったセーターを着てみました。

「ありがとう」の返事に添えようと思って、自分で手を伸ばして、セーター姿のポラを撮ったのです。

が、写真に写った私は、自分が想像していた姿とは、ちょっと異なって見えてしまいました。

「う〜ん、千秋より、大分、太ってんなぁ。シマシマの幅が太いもんね」

ウール一〇〇％なので、勿論着られないわけではないのですが、でも、これを千秋が見たら、「あ〜あ、セーター伸びちゃったよ」とガッカリするのではと気になり、私はやっぱりポラを同封するのは止める事にしました。そして、いつの日か（できれば次の冬に）、私の体が見事にシェープアップされた暁に、思いっきり若作りして撮り直し、送る事にしようと……。

ムフフ、今度の冬には絶対！　期待してて下さいよ。


ところで、今度の手紙によると、千秋は『服に見切りをつけるのはいつ？』と、『下着や靴下をどのくらい使い続けるか』について、日頃悩んでおられるようにお見受けしましたが……、これは私もまるで同じであります。

『愛印』の中で『片づけ下手が、見たものは!?』を書くに至った理由も、元はといえば、私が物をまるで捨てられぬ性分だからなのですよ。

私の場合は、服にしても下着にしても、買ってきて、「これは付き合いが長くなる」と思うかどうか、一度着てみたところで決まってしまいます。デパートで試着して良かったはずなのに、自分の物となって実際にそれを着て動いてみると、まるでダメだったりもするのです。

で、ダメなものは、新品なうちに友達にもらってもらったり、クリーニングしてバザー等に出したりするので、後くされなく別れられるのだけれど、問題なのは、やっぱり「付き合いが長くなった子達」なのですよね。

好みなうえに、長年の間にすっかり自分の体の形そっくりになってしまっているので、まるで自分の分身と別れるみたいな気持ちになって……。

ヘビやセミなんかは脱皮をするわけだけれど、彼らも自分のヌケガラと別れを惜しんだりするのだろうかなどと、ついつい余計な事まで考えてしまうのであります。

ちなみに、「エイヤー」とゴミ袋に入れて捨てた服を、「やっぱ無理ッ！」と我慢できずに拾って来た事は数限りなくあり、ついには「遠方でなら」と考えぬいて、地方ロケに行った際に新聞紙にくるんで旅館の部屋のゴミ箱に捨てたりなんかもしています。

しかし、これが最後と思ってギリギリまで着倒して、やっとの思いで捨てて来たにもかかわらず、「お忘れ物です」と宿屋から御丁寧に送り返された事もあったりして。

まったくもって、トホホの毎日なのでありますよ。

そして、トホホといえば、千秋が気にされているトイレの件も……。

多分、このエッセイを読んで下さった方のほとんどが経験されているかと思いますが、ホントに花盛りのトイレは困りものですよねぇ。

故障中を知らずに入った場合は仕方がないにしても、流れるにもかかわらず、流さない！　ってのは、一体どう理解したらいいのやら。

ことに接して、ひどく悩みます。

でもね、千秋。うちの猫達六匹を見てると、猫だって色々なのよねぇ。

自分のウンコを砂の奥深〜くに隠したがる子もいれば、ひと砂かけて終了する子、中には一応猫トイレではするけれど、まるで砂かけをしないニャンコだっているし……。年に二度程は、何かを訴えるかのごとく、スリッパの上にダンゴ状になっている事も……。

そういえば、人間のトイレの中でも、私は何度も目撃した事、あります。……つまり、便器から大きくはずれて、タイルの上にポツンとⓊが落ちているんだけど、あれって一体、何故なんでしょうね？

和式ならば便器外にはずれてしまう可能性はなきにしもあらずかもしれないと考えられますが、洋式ではずすのは、かなりの技を要するのでは!?と、首をひねってしまうのです。

千秋は衛生的なトイレエピソードを望むと書いておられましたが、ついつい逆行してしまってゴメンナサイネ。

でも、ここは少し神経を太くして、お互い自宅外のトイレを怖がらぬようにしましょう。

〝流せなかった、よほどの事情〟や〝㋒を落としてしまう程の精神的動揺〟を思いやってあげられる、博愛の精神を身につけたいものです。

ところでベイビーは千秋ちゃんに似てますか？

すぐに写真が見たいのと、愛印に満ちたお宅のエピソードが読みたいです。

お仕事の合い間に、またお便り下さいませませ。

滋より

二〇〇五年、初夏

千秋どの。

日頃、「すっぴん魂」を御愛読いただき、皆さん、本当にありがとう。
皆さんの暖かな愛に支えられて、ムロイ、今後も頑張ります。
文春文庫の庄野さん、池延さん、そして装幀の池田さん、ありがとう。
今度ぜひ、中年の愛印について、語り合おうではありませんか。

室井　滋

単行本　一九九九年九月　文藝春秋刊

文春文庫

すっぴん魂《コン》　愛印《あいじるし》

定価はカバーに
表示してあります

2005年8月10日　第1刷

著　者　室《むろ》井《い》　滋《しげる》
発行者　庄野音比古
発行所　株式会社 文藝春秋
東京都千代田区紀尾井町 3-23　〒102-8008
TEL 03・3265・1211
文藝春秋ホームページ　http://www.bunshun.co.jp
文春ウェブ文庫　http://www.bunshunplaza.com
落丁、乱丁本は、お手数ですが小社製作部宛お送り下さい。送料小社負担でお取替致します。

印刷・凸版印刷　製本・加藤製本　Printed in Japan
ISBN4-16-717910-5

エッセイ

（　）内は解説者。品切の節はご容赦下さい。

松尾スズキ
ぬるーい地獄の歩き方
辛いのに公然とは辛がれない、それが「ぬるーい地獄」。失恋、若ハゲ、いじめ、痔……ヌルジゴ案内人・松尾スズキがお送りする、切なくて哀しくて失礼だけどおもしろい平成地獄めぐり。

ま-17-1

みうらじゅん
見ぐるしいほど愛されたい
水原弘の看板、ウーパールーパーなどお懐かしテーマで'80年代を豪快に笑い飛ばすギャグマンガ。世にもムカつく絵馬に喝を入れまくる「ムカエマの世界」を同時収録。ゲスト陣も充実。

み-23-1

みうらじゅん
魅惑のフェロモンレコード
「マイ・ブーム」の発案者が「見る」ことを目的に中古レコード屋を巡り発掘した、ちょっとエッチでかなり笑えるレコードカタログ。キーワードは〝エロ・バカ・カッコイイ〟。（久住昌之）
V-50-25

井上トシユキ
2ちゃんねる宣言
挑発するメディア
インターネット最強の掲示板サイト「2ちゃんねる」。その成功の秘密からネット時代のベンチャー企業のあり方まで、主宰者である「ひろゆき」のインタビューを中心に解き明かした一冊。
P10-9

岩佐陽一
70年代カルトTV図鑑
七〇年代、子供達が熱狂したカルトなTV番組が甦る！　なぜか米不足の解消を嘆願していたレインボーマン、みんな踊った電線音頭、巨大な斧で悪を滅ぼすバトルホーク他、名作揃い。

P40-4

岩佐陽一
なつかしのTV青春アルバム！
特撮・アクションドラマ篇
七〇年代。ぼくたちは正義も愛も、テレビから教わった。仮面ライダー、スペクトルマン、念仏の鉄、カースケetc.懐かしの名番組全五十二篇を、愛とデータで熱く語る一冊。（平山亨）
P40-6

（　）内は解説者。品切の節はご容赦下さい。

池部良
心残りは…

「青い山脈」「雪国」「昭和残俠伝」などで邦画界に一時代を築いた著者が、三船敏郎、山本富士子、山口淑子、黒澤明、木下恵介……名優、名監督と触れ合った面白おかしい裏話。（赤瀬川隼）

い-31-2

小沢昭一
もうひと花

絶滅寸前は大道諸芸のみにあらず。美人、トリモチ等々然りと尋ね求めて全国行脚を続ける寄り道の達人・小沢がおくる懐かし風味絶佳の随筆集。江國滋氏との対談も収録。（矢野誠一）

お-4-5

小沢昭一
話にさく花

自称しゃべくり芸人の著者が、徳川夢声の書物「話術」をもとに話のコツを説き明かす。また、飽くなき探求心と好奇心で語る各国大道芸の魅力など話題満載のエッセイ集。（池内紀）

お-4-6

岡田斗司夫
オタクの迷い道

ガメラで濡れる人妻、東大ミニ四駆改造王から幼稚園児まで、おのれの道をゆく者を讃える名コラム77連発。文庫版は唐沢俊一、宮脇修一との語りおろし対談はじめ豪華四大特典付!!

お-29-1

久世光彦
マイ・ラスト・ソング
あなたは最後に何を聴きたいか

死ぬ間際にたった一曲聴けるとしたら、どの歌を選ぶか？「蘇州夜曲」「何日君再来」「影を慕いて」など、懐かしい名曲と歌にまつわる思い出を綴った珠玉のエッセイ集。（小林亜星）

く-17-2

久世光彦
みんな夢の中
続マイ・ラスト・ソング

懐かしの小学唱歌から「海ゆかば」「唐獅子牡丹」まで。そして森繁久彌がアカペラで歌った「月の砂漠」など、忘れがたい歌にまつわる数々の思い出を綴るエッセイ集第二弾。（中野翠）

く-17-4

エッセイ

（　）内は解説者。品切の節はご容赦下さい。

イタリア讃歌 手作り熟年の旅
高田信也

妻は絵の道具、夫はワープロと万歩計を持ってイタリアへ。お仕着せパック旅行では経験出来ない素晴しい三十二日間が熟年の二人を待っていた。手作り旅のガイドとして実用性も満点。

た−40−1

リアスの海辺から 森は海の恋人
畠山重篤

牡蠣・帆立を養殖する三陸の漁民が、ザビエル像が首にかけた帆立貝に導かれ、同じリアス式海岸のあるスペインに「森は海の恋人」運動の原点を追い求める「帆立貝」紀行。（木村尚三郎）

は−24−1

旅をする木
星野道夫

正確に季節が巡るアラスカの大地に住むエスキモーや白人の陰翳深い生と死を味わい深い文章で描くエッセイ集。「アラスカとの出合い」「カリブーのスープ」他全33篇。（池澤夏樹）

ほ−8−1

長い旅の途上
星野道夫

シベリアで取材中、クマに襲われて亡くなった著者が残した76篇のエッセイ。過酷な大地を見守り続けた写真家が綴った、人間と自然が織りなす緊張感に満ちた優しい眼差しと静謐な世界。

ほ−8−2

田園に暮す
鶴田静＋エドワード・レビンソン 写真

ベジタリアン料理の草分け的存在である著者の美しい料理写真とレシピ、農村に訪れる日本の四季の穏やかな風景がカラー写真でふんだんに盛り込まれた、田園生活を満喫できるエッセイ。

P20−5

横森式シンプル・シック
横森理香

玄米菜食でみごとにダイエットに成功した著者が次に挑んだのは、生活のダイエット。衣食住すべてをいかにすっきりさせるか、ノウハウ満載。「シンプル」を極めると、豊かになれる。

P20−8

（　）内は解説者。品切の節はご容赦下さい。

Title＋about＋芦部聡 編
オイシイ韓国、極上のソウル
男性篇
男のソウルはこうしてキメる。安くてウマい韓国料理店から、ピンクのネオンも妖しい夜の街まで。徹底取材を誇る日韓のストリートマガジンによる最もディープなソウル・ガイドブック。
P40-8

久世光彦
怖い絵
人はなぜ怖い絵にひかれるのか。乱歩の「陰獣」を飾った竹中英太郎の挿画、ビアズリーの「サロメ」などの絵との出会いと、幼時からの悪への傾斜とを見事に綴り合わせた妖しの世界。（矢川澄子）
く-17-1

杉本苑子
東京の中の江戸名所図会
時代小説家の著者にとって、無二の友である「江戸名所図会」。そこに登場する日本橋、隅田川など約三十カ所を訪ね、時を超えて現代の東京に息づく「図会」の世界をとらえたエッセイ集。
す-1-21

須賀敦子
コルシア書店の仲間たち
かつてミラノに、懐かしくも奇妙な一軒の本屋があった。そこに出入りするのもまた、懐かしくも奇妙な人びとだった。女流文学賞受賞の著者が流麗に描くイタリアの人と町。（松山巖）
す-8-1

須賀敦子
ヴェネツィアの宿
父母、人生の途上に現れては消えてゆく人々が織りなす様々なドラマ。「ヴェネツィアの宿」「夏のおわり」「寄宿学校」「カティアが歩いた道」等、美しい文章で綴られた十二篇。（関川夏央）
す-8-2

田丸公美子
パーネ・アモーレ
イタリア語通訳奮闘記
TV局から依頼された法王のメッセージの通訳。放送開始までの手に汗握る聖夜の出来事を始め、日本最強のイタリア語通訳者が明かす楽しいエピソードが満載！（米原万里）
た-56-1

エッセイ

（　）内は解説者。品切の節はご容赦下さい。

麻生圭子
京都で町家に出会った。
古民家ひっこし顛末記

祇園祭以来、その魅力にとりつかれた著者が築七十年の町家で暮らし始めた。傷んだ壁や床、坪庭を建築家の夫と手作業で修復、古風な京都生活を再現する苦労と感動の一年。（大石静）

あ-40-2

内田春菊
やられ女の言い分

マンガに小説にバンドに芝居。二人の幼児（いまや、すでに四人）をかかえながら、八面六臂の大活躍をする著者のパワフルでエネルギッシュなエッセイとコラムの集成。

う-6-11

角田光代
これからはあるくのだ

住んでいる町で道に迷い、路上で詐欺にひっかかるといった大ボケぶりのカクタさん。騙されても理不尽な目に遭っても自らの身に起こった事件を屈託なく綴るエッセイ集。（三浦しをん）

か-32-1

岸本葉子
やっと居場所がみつかった

二十代、三十代は「どこか」「誰か」願望で悶々としていたけれど最近肩の力が抜けてきた。自然食、おしゃれ、旅行、結婚、仕事……。四十歳目前の今、何を大切にしてきたかを振り返る。

き-18-5

光野桃
スランプ・サーフィン

ある日、スランプの大波がやってきた。とまどい、悩んだ末にたどり着いた脱出法は？　疲れた心に効く色、香り、旅……。自分自身を癒すためのお洒落な処方箋、伝授します。（草野満代）

み-27-1

米原万里
ガセネッタ＆シモネッタ

名訳と迷訳は紙一重。ロシア語同時通訳の第一人者が綴る、大マジメな国際会議の実に喜劇的な舞台裏を描いたエッセイ集。ガセネタも下ネタも、ついでにウラネッタも満載!!（後藤栖子）

よ-21-1

文春文庫

動物エッセイ

品切の節はご容赦下さい。

中島らも
とらちゃん的日常
とらちゃんが事務所にやってきた。散々な悪業を重ねたおれ。おれは猫を飼うに値しない人間ともわかっている。だが猫の高貴さが洗い清めてくれる。写真八十点収録の傑作〝猫〟エッセイ。

な-35-2

野田知佑
さらば、ガク
CMで勇名を馳せ、アラスカ・カナダ・メキシコを旅する。漂泊のカヌーイストの友として生き、「あやしい探検隊」はじめ、多くの人々に愛されたカヌー犬の生涯を記録した決定版写真集。

の-5-7

福澤美和
フロックスはわたしの目
盲導犬と歩んだ十二年〈新版〉
盲導犬フロックスと出会い、共に暮らし、全国を旅した十二年間。盲導犬の役割とその素晴しさを日本中に知らしめた記念碑的作品に、三篇のエッセイを加筆した増補新版。感動再び！
ふ-8-2

群ようこ
ネコの住所録
動物たちはものを言えないけれど、こんなにもおしゃべりだ。妻を自慢する雄猫、運痴の犬、グルメの鳥にクーラーで涼む蜂、痴漢に間違えられた鹿にいのししレース等、傑作動物エッセイ。

む-4-6

犬丸りん
うちのイキモノ様
恐竜大好き少女とイグアナ、恋人を亡くした娘と四匹の猫、美女と犬のように〝お手〟芸をする荒馬……。「生き物家族」と飼主との愛と涙、冷や汗、爆笑物語を心温かい絵と文で綴る。

P50-11

寒川猫持
猫とみれんと
猫持秀歌集
尻舐めた舌でわが口舐める猫好意謝するに余りあれども。自称目医者、うた詠み。妻に逃げられ、猫と暮らす著者が、過ぎし日々と飼い猫にゃん吉への愛を諧謔に託して詠んだ三百八十首。
P50-13

文春文庫

食のエッセイ

（　）内は解説者。品切の節はご容赦下さい。

米原万里
旅行者の朝食
ロシアのヘンテコな缶詰から幻のトルコ蜜飴まで、古今東西の美味珍味について蘊蓄を傾ける、著者初めてのグルメ・エッセイ集。人は「食べるためにこそ生きる」べし！（東海林さだお）
よ-21-2

丸元淑生
丸元淑生のクック・ブック
完全版
完璧な栄養は完璧な調理により完璧な美味をもたらす。栄養学の大家であり料理の情熱的実践家であるこの作家が、まごころをこめて書いた、シンプルにして完全な料理書である！
ま-4-2

渡辺怜子
フィレンツェの台所から
フィレンツェに住むことになったイタリア料理研究家が街の市場を巡り、家庭の台所を訪ね、食物と人々の暮らしを生き生きと描く。パスタ、チーズ、ワインを巡るイタリア食紀行の名著。

わ-9-1

文藝春秋 編
鬼平舌つづみ
文春ウェブ文庫ホームページの名物コラム。青柳の小鍋立て、鰹のづけ丼、蛸の塩茹でと蒸し里芋など、「鬼平犯科帳」の〝食〟にヒントを得た料理人万作の新作料理四十八品。レシピ付。

編-2-34

小山裕久
右手に包丁、左手に醤油
大阪「吉兆」で修業し、徳島の名料亭「青柳」を継いだ主人が、食の真髄を求めて、国内やフランス、北京、シンガポールなど世界を訪ねつつ考えた日本料理の「原理」をつづった随筆集。

P20-4

工藤佳治
中国茶めぐりの旅
上海・香港・台北
上海・香港・台北と、中国茶の原点を訪ねる旅をコース別に案内し、茶館を巡って本場の茶の楽しみ方を紹介する。あわせておいしい淹れ方から茶具、各地の美味なる料理屋さんも紹介。
P40-9

文春文庫

食のエッセイ

（　）内は解説者。品切の節はご容赦下さい。

石井好子
パリ仕込みお料理ノート
三十年前、歌手としてデビューしたパリで、食いしん坊に開眼した著者が綴った、料理とシャンソンのエッセイ集。読んだらきっと食べたくなり、作ってみたくなる料理でいっぱい。

い-10-1

海老沢泰久
美味礼讃
彼以前は西洋料理だった。彼がほんもののフランス料理をもたらした。その男、辻静雄の半生を描く伝記小説――世界的な料理研究家辻静雄は平成五年惜しまれて逝った。（向井敏）

え-4-4

小林カツ代
お料理さん、こんにちは
あの小林カツ代にも料理の初心者だった時代があった。生まれて初めて作った料理は、ほうれん草の油炒め。初めての味噌汁では大失敗。抱腹絶倒の台所修業記、初の文庫化。（石坂啓）

こ-31-1

里見真三
すきやばし次郎 旬を握る
前代未聞！　パリの一流紙が「世界のレストラン十傑」に挙げた江戸前握りの名店の仕事をカラー写真を駆使して徹底追究。本邦初公開の近海本マグロ断面をはじめ、思わず唸らされる。

さ-35-1

高橋邦弘
そば屋 翁
僕は生涯そば打ちでいたい

東京・南長崎、八ヶ岳・長坂で、全国のそば好きを唸らせた手打ちそばの店『翁』。その主人が語るレジェンド・オブ・そば。読めば必ず、あなたもそばが食べたくなる。走れ、そば屋へ。

た-51-1

辻静雄
料理に「究極」なし
新聞記者から転身、あべの辻調理師専門学校を設立しフランス料理の研究、普及に尽力した辻静雄がつづった、料理の楽しみ方からフランス料理研究の粋にいたる著者最後のエッセイ論集。

つ-10-1

文春文庫　最新刊

鬼女の花摘み　御宿かわせみ30　平岩弓枝

黒焦げ美人　岩井志麻子

フォックス・ストーン　笹本稜平

クチュクチュバーン　吉村萬壱《まんいち》

ひとは化けもんわれも化けもん　山本音也

冬のアゼリア　大正十年・裕仁皇太子拉致暗殺計画　西木正明

天然理科少年　長野まゆみ

散りぎわの花　小沢昭一

政治と情念　権力・カネ・女　立花　隆

この結婚　明治大正昭和の著名人夫婦70態　林えり子

昭和快女伝　恋は決断力　森まゆみ

梶原一騎伝　夕やけを見ていた男　斎藤貴男

ぶつぞう入門　柴門ふみ

すっぴん魂《コン》　愛印《あいじるし》　室井　滋

昭和史発掘〈新装版〉6　松本清張

英語となかよくなれる本　高橋茅香子《ちかこ》

零戦の誕生　森　史朗

お笑い　男の星座2　私情最強編　浅草キッド

驚異の百科事典男　世界一頭のいい人間になる！　A・J・ジェイコブズ　黒原敏行訳

癒しの木　ダイアン・チェンバレン　羽田詩津子訳

凶器の貴公子　ボストン・テラン　田口俊樹訳